KÖNIGS ERLÄUTERUNGEN

Band 403

Textanalyse und Interpretation zu

**Bernhard Schlink**

# DER VORLESER

Magret Möckel

Alle erforderlichen Infos für Abitur, Matura, Klausur und Referat
plus Musteraufgaben mit Lösungsansätzen

**Zitierte Ausgabe:**
Bernhard Schlink: *Der Vorleser*. Zürich: Diogenes Taschenbuch, 1997.

**Über die Autorin dieser Erläuterung:**
Magret Möckel, geboren 1952 in Lindau an der Schlei (Schleswig-Holstein), Studium der Germanistik und Anglistik an der Universität in Hamburg. Erstes und Zweites Staatsexamen in Hamburg. Seit 1979 Lehrerin für Deutsch und Englisch, erst an einem Gymnasium in Vechta, dann in Friesoythe, seit 2003 in Oldenburg an der Graf-Anton-Günther Schule. Dort leitet sie die Fachgruppe Deutsch. Außerdem arbeitet sie für das Fach Deutsch in Kommissionen der Landesschulbehörde mit. Die Aufbereitung von Gegenwartsliteratur für die Schule ist ihr stets ein wichtiges Anliegen.
Frau Möckel ist verheiratet und hat zwei erwachsene Söhne.



5. Auflage 2017
**ISBN: 978-3-8044-1908-7**
PDF: 978-3-8044-5908-3, EPUB: 978-3-8044-6908-2

Titelbild: Kate Winslet und David Kross in der Verfilmung *Der Vorleser*, USA/BRD 2008, © Senator/Cinetext

Druck und Weiterverarbeitung: Tiskárna Akcent, Vimperk

# 1. DAS WICHTIGSTE AUF EINEN BLICK

Damit sich jeder Leser in diesem Band rasch zurechtfindet und das für ihn Interessante gleich entdeckt, erfolgt hier eine Übersicht.

⇨ S. 10 ff.

Im 2. Kapitel werden Schlinks Leben und der zeitgeschichtliche Hintergrund des Romans vorgestellt:

⇨ S. 10 ff.

→ Bernhard Schlink wurde **1944** geboren. Er studierte Jura und lebte und lehrte als Professor für öffentliches Recht in Bonn, Frankfurt am Main, Berlin und verfasste juristische Fachbücher. Seit 1987 schreibt er Kriminalromane mit dem Protagonisten Selbs. Mit ***Der Vorleser*** erschien **1995** sein erster Roman, der sofort zum Bestseller avancierte und in bis zu 47 Sprachen (Stand 2011) übersetzt wurde. Heute lebt und arbeitet Schlink in **New York** und **Berlin**.

⇨ S. 13 ff.

→ *Der Vorleser* enthält **Vertreter aller drei Generationen** (Täter/Kinder/Enkel), die mit den Verstrickungen der NS-Zeit zu tun haben. Die Generationen werden vorgestellt sowie Beispiele literarischen Umgangs mit der NS-Zeit seit 1945 bis zum Anfang des 21. Jahrhunderts gegeben. Dieser Abschnitt zeigt auf, wie B. Schlinks Roman **literaturgeschichtlich** einzuordnen ist.

⇨ S. 19 ff.

→ Wiederkehrende Motive und Konstellationen in anderen Werken Schlinks, die im Bezug zu *Der Vorleser* stehen, sind: **Verstrickung in Schuld, Umgang mit der NS-Zeit, Heimkehr, Liebesbeziehungen, Literatur.** Punktuell eingeschobene Hinweise zu weiteren literarischen Werken Schlinks sollen das Blickfeld erweitern.

Das 3. Kapitel geht analysierend und interpretierend auf den Roman ein.

**Inhalt:**

Der Roman enthält die **Geschichte von Michael Berg in drei Abschnitten seines Lebens**. Als **Fünfzehnjähriger** verliebt er sich in die wesentlich ältere Hanna, zu der er eine Liebesbeziehung entwickelt, die durch das Ritual des Duschens, sich Liebens und des **Vorlesens** geprägt ist. Sie verschwindet ohne Abschied. Erst als **Jurastudent** begegnet er **Hanna** wieder. Sie ist als ehemalige **Aufseherin in einem Konzentrationslager** angeklagt. Erst im Laufe des Prozesses begreift Michael, dass Hanna Zeit ihres Lebens alle Entscheidungen getroffen hat, um ihr **Analphabetentum** zu verheimlichen. Trotz dieser Erkenntnis hilft Michael ihr zwar nicht, schickt ihr jedoch nach ihrer Verurteilung Kassetten mit von ihm **vorgelesenen Texten** ins Gefängnis. Mit Hilfe dieser Bänder lernt Hanna im Gefängnis lesen. Kurz vor ihrer Entlassung aus dem **Gefängnis** nimmt sie sich das Leben.

⇨ S. 33 ff.

**Chronologie und Schauplätze:**

Der Roman ist in **3 Teile** mit insgesamt **46 kurzen Kapitel** unterteilt, die dem Lebensalter Michaels als Jugendlicher, als Jurastudent und als Erwachsener folgen. Zur ersten Begegnung zwischen Michael und Hanna kommt es im Herbst 1958. Ihre Geschichte wird rückblickend (zumeist) in chronologischer Abfolge der Ereignisse erzählt bis zur Erzählgegenwart 1994/95.

⇨ S. 48 ff.

Ortsnamen werden nicht ausdrücklich genannt. Dennoch lassen die vielen Anspielungen im 1. Teil Heidelberg als Hauptschauplatz vermuten; der 2. Teil spielt sich in erster Linie im Gerichtssaal „in einer anderen Stadt“ (S. 90) ab (evtl. Frankfurt als Anspielung auf die Auschwitzprozesse); die Stadt, in der der 3. Teil hauptsächlich angesiedelt ist, ist nicht genau zu bestimmen, im 11. Kapitel fährt Michael nach New York

**Personen:**

Die Hauptfiguren sind **Michael und Hanna**. Die Liebesbeziehung zu der 21 Jahre älteren, rätselhaften Hanna bestimmt Michaels Leben bis in das Erwachsenenleben und ist Grund für seine spätere Bindungsunfähigkeit. Ihr Verhältnis ist durch Sexualität, durch Unterwerfung und Beherrschung, durch vielfältige Verstrickung in alte und neue Schuld und durch das Vorlesen geprägt.

⇨ S. 52 ff.

**Michael:**

→ aus gutbürgerlicher Familie
→ klug, belesen; später Akademiker
→ zunächst unsicher im Verhalten, dann zunehmend selbstkritisch

⇨ S. 57 ff.

**Hanna:**

→ keine Familienanbindung
→ Analphabetin; ehemalige KZ-Aufseherin
→ unberechenbar für Michael, ambivalentes Verhalten: unsicher/bestimmt/herrisch/zärtlich etc.

**Stil und Sprache Schlinks:**

⇨ S. 66 ff.

Hintergrundinformationen zu Sachfragen und Erläuterungen zur sprachlichen Gestaltung ermöglichen einen Einblick in den Roman als literarisches Werk. Die drei Teile des Romans passen sich sprachlich dem immer älter werdenden Ich-Erzähler Michael an und vermitteln so den Eindruck großer **Authentizität**. Wortwahl und Diktion werden zunehmend komplexer und poetischer ausgestaltet, verlieren aber nie die für Schlink charakteristische **Klarheit und Knappheit der Sprache**.

Die Textverknüpfung erfolgt über wiederkehrende Motive (**Odyssee, Symbolgehalt der Orte und Räume, der Körperlichkeit** u. a.), das Leitmotivgeflecht. Es erfolgt eine genaue Darstellung der sprachlichen Gestaltung und ihrer Funktion für die einzelnen Teile.

**Verschiedene Interpretationsansätze bieten sich an:**

⇨ S. 84 ff.

Zum tieferen Verständnis des Romans werden Themen wie **Analphabetismus**, Beziehung und **Kommunikation**, **Literatur** und ihre Funktion untersucht. Die Frage nach **Schuld** bezieht sich auf Hanna, Michael, die NS-Zeit und geht auf Verarbeitung und auf die vielfältigen Arten des Umgangs mit Schuld ein. Weil in diesem Roman plumpe Verurteilungen vermieden werden, stattdessen individuelle Schuld, Kollektivschuld, Rollen, Umstände und Verantwortung miteinander in Beziehung gesetzt werden, erhält der Roman eine weit über den Zeitbezug hinausreichende Bedeutung.

Bernhard Schlink,
© ullstein bild – B. Friedrich

# 2. BERNHARD SCHLINK: LEBEN UND WERK

## 2.1 Biografie

| JAHR | ORT | EREIGNIS | ALTER |
|---|---|---|---|
| 1944 | Bielefeld | Geburt Bernhard Schlinks | |
| 1944–1974 | Heidelberg und Mannheim | Kindheit und Jugend | |
| | Heidelberg und Berlin | Studium der Rechtswissenschaften | bis 30 |
| 1975 | Heidelberg | Dissertation | 31 |
| 1981 | Freiburg (Breisgau) | Habilitation<br>Herausgabe juristischer Fach- und Lehrbücher | 37 |
| 1982–1991 | Bonn | Professor an der Universität Bonn | 38–47 |
| 1987–2006 | NRW | Verfassungsrichter in Nordrhein-Westfalen | 43–62 |
| 1987 | | Erscheinen von *Selbs Justiz* (Kriminalroman) | 43 |
| 1988 | | Erscheinen von *Die gordische Schleife* (Kriminalroman) | 44 |
| 1989 | Berlin | Verleihung des Autorenpreises deutschsprachiger Kriminalliteratur („Der Glauser“) für *Die gordische Schleife* | 45 |
| 1991 | | Verfilmung des Kriminalromans *Selbs Justiz* unter dem Titel *Der Tod kam als Freund* für das ZDF (Regie: Nico Hofmann) | 47 |
| seit 1992 | Berlin | Professor an der Humboldt-Universität | ab 48 |

| JAHR | ORT | EREIGNIS | ALTER |
|---|---|---|---|
| 1992 | Frankfurt a. M. | Erscheinen von *Selbs Betrug* (Kriminalroman) | 48 |
| 1993 | | Verleihung des Deutschen Krimi-Preises des Bochumer Krimi-Archivs für *Selbs Betrug* | 49 |
| 1995 | | Erscheinen von *Der Vorleser* (Roman)<br>Verleihung des „Stern des Jahres" der „Abendzeitung" (München) für *Der Vorleser* | 51 |
| 1997 | Italien | Grinzane-Cavour-Preis für *Der Vorleser* | 53 |
| | Neumünster | Verleihung des Fallada-Preises der Stadt Neumünster | |
| | Frankreich | Prix Laure Batallion für *Der Vorleser* | |
| | USA | Erscheinen der englischen Ausgabe von *Der Vorleser* (*The Reader*) | |
| 1999 | USA | *The Reader* auf Platz eins der Bestsellerlisten<br>Verkauf der Filmrechte an Hollywood | 55 |
| | Berlin | Literaturpreis der Tageszeitung „Die Welt" für das literarische Werk | 55 |
| 2000 | | Erscheinen von *Liebesfluchten* (Erzählungen)<br>Ehrengabe der Düsseldorfer Heinrich-Heine-Gesellschaft<br>Evangelischer Buchpreises für *Der Vorleser*, Sonderkulturpreis der japanischen Tageszeitung Mainichi Shimbun<br>*Heimat als Utopie* (Sachbuch) | 56 |

| JAHR | ORT | EREIGNIS | ALTER |
|---|---|---|---|
| 2001 | | *Selbs Mord* (Kriminalroman) | 57 |
| 2004 | Berlin | Bundesverdienstkreuz (1. Klasse) | 60 |
| 2006 | | *Die Heimkehr* (Roman) | 62 |
| 2008 | Berlin/ New York | *Das Wochenende* (Roman) Verfilmung von *Der Vorleser* (*The Reader*) und *Der Andere* (*The Other Man*), Erzählung aus *Liebesfluchten* | 64 |
| 2010 | Berlin/ New York | *Sommerlügen* (Erzählungen) | 66 |

## 2.2 Zeitgeschichtlicher Hintergrund

ZUSAMMEN-FASSUNG

Zeitliche Einordnung, Personen und Thema in Schlinks *Der Vorleser*

→ 3. Phase der literarischen Verarbeitung des Holocaust
→ alle drei Generationen, die direkt oder indirekt von der NS-Zeit betroffen sind, sind im Roman vertreten; unterschiedlicher Umgang der Menschen mit dem Holocaust
→ zeitliche Distanz zum Holocaust wirkt sich auf Stil und Darstellung aus: Leichtigkeit des Tons, Erzeugung von Betroffenheit auf allgemeinerer Ebene, Einbeziehen von Vorkenntnissen und dem Leser vertrauten Bildern sowie Dokumenten aus der NS-Zeit
→ Verzicht auf eindeutige Verurteilungen und Urteile, stattdessen Aufzeigen von Umständen der Verstrickung in Schuld

Weitere literarische und filmische Verarbeitungen des Themas, literaturgeschichtliche Einordnung des Romans (nach 1945, 60er Jahre, 90er Jahre)

### *Der Vorleser* als literarische Verarbeitung des Holocaust

Weltweites Interesse am Zweiten Weltkrieg und an den Geschehnissen des Holocaust

Die Entstehung von *Der Vorleser* fällt in eine dritte Phase der Auseinandersetzung mit dem Zweiten Weltkrieg und dem Thema Holocaust auf verschiedenen Ebenen. Das als bahnbrechend bezeichnete Schuldbekenntnis der katholischen Kirche in Hinblick auf Verfehlungen im vergangenen Jahrtausend bezog auch Versäumnisse gegenüber den Juden ein. Entscheidungen hinsichtlich der Entschädigung von Zwangsarbeitern im Dritten Reich mussten gefällt werden. Im Fernsehen, in Ausstellungen, in Filmen, in an-

Unterschiedliche Formen der Auseinandersetzung mit dem Holocaust in den drei Generationen

deren Medien, auch in der Literatur wurde und wird dieses Thema behandelt. Dieses weltweite Interesse hing unter anderem mit dem hohen Alter der **letzten Zeitzeugen und Opfer** zusammen. Authentische Berichte, Befragungen von Betroffenen, Schuldbekenntnisse und vor allem Entschädigungen von Opfern waren nur noch begrenzt möglich. Gleichzeitig ist feststellbar, dass durch die **gewachsene zeitliche Distanz zu den Geschehnissen** sich auch der Umgang damit änderte. Auch in der Literatur ist erkennbar, dass sich diese Generation der „Nachgeborenen" in einer anderen Weise als bisher dem Stoff nähert. Es sind nicht mehr der Massenmord und die Geschehnisse des Zweiten Weltkrieges selbst, um die es unmittelbar geht, vielmehr wird die Verarbeitung dieser Geschehnisse von Seiten der Täter- und Opferkinder bzw. der Enkel beschrieben.

Schlink selbst weist darauf hin, dass schon drei Generationen mit der Schuld des Dritten Reiches und des Holocaust umgehen müssen. Alle drei Generationen tauchen in seinem Roman auf:

Vertreter der ersten Generation **(unmittelbar in die Ereignisse verstrickt):**

| | |
|---|---|
| → Hanna | Täter |
| → die Eltern und unmittelbaren Verwandten von Michael | Widerstand Leistende<br>passiv Duldende |
| → die überlebende Mutter mit ihrer Tochter | Opfer |

Vertreter der zweiten Generation **(Kinder, haben Holocaust selbst nicht erlebt):**

| | |
|---|---|
| → Michael und seine Mitschüler, Kommilitonen | kritisch Fragende<br>Anklagende<br>in Generationskonflikt Verstrickte |

**Vertreter der dritten Generation**
**(Enkel, kennen Holocaust nur aus Filmen, Dokumentationen, Berichten):**

→ Leser des Romans — aufgeklärte Zeitgenossen

→ Bewohner des neuen, erst in den siebziger oder achtziger Jahren gebauten Hauses in der Bahnhofstraße (vgl. *Der Vorleser*, S. 142) — aufgeklärte Zeitgenossen

Die dieser dritten Generation angehörenden oder zumindest in ihrer Zeit schreibenden Schriftsteller gehen schwerpunktmäßig anders als die vorangegangenen mit den schrecklichen Ereignissen um.

1. Generation

Schlink beschreibt in seiner Rede zur Verleihung des Fallada-Preises die **Auseinandersetzung** der **1. Generation** mit der Vergangenheit als durch einerseits Verdrängung, andererseits Offenlegung geprägt. Sie ist seiner Ansicht nach **weitgehend dokumentarischer Art**. Diese Form der Bewältigung bezieht er in seinen Roman ein, wenn er von dem **Buch der überlebenden Tochter** spricht. Auch die **2. Generation**, die der Söhne und Töchter, kommt in seinem Roman zu Wort. Es ist die Generation derjenigen, die sich als „Avantgarde der Aufarbeitung" (S. 87) sehen. Zu ihr gehört Michael. Selbstkritisch erinnert dieser sich später an den fast fanatischen Eifer und die festen Vorstellungen von Schuld und Sühne, die ihre Haltung prägte. Hier deckt sich die Einstellung des Protagonisten und Erzählers mit der des Autors. Schlink sieht in dem moralischen „Anklagen, Verurteilen und Ausstoßen der Täter, Mittäter und Zuschauer der ersten Generation"[1] den **Versuch der 68er-Generation, sich aus der eigenen individuellen und kollektiven Verstrickung zu befreien**. Michael ist vor allem

2. Generation

---

1 In Bernhard Schlinks Rede zur Verleihung des Fallada-Preises der Stadt Neumünster 1997, S. 44

durch seine Beziehung zu Hanna persönlich mit der ersten Generation verstrickt. Seine Form der Auseinandersetzung ist die der rückblickend kritischen Aufarbeitung in Form eines Buches. Für die **3. Generation** konstatiert Schlink **das Ende eines Schuldzusammenhanges auf einer solchen persönlichen Ebene**. Gleichwohl „gibt es ein **Vermächtnis der Furchtbarkeiten des Dritten Reiches auch für die dritte und die folgenden Generationen**"[2] und gleichermaßen drängende Fragen.

3. Generation

Aufgabe der Literatur: Herstellung eines individuellen Zugangs zu den Geschehnissen, persönliche Auseinandersetzung des Lesers damit

Literatur muss Schlinks Meinung zufolge den individuellen Zugang dazu immer wieder neu herstellen und dabei zugleich universeller sein. Mit seinem Roman gelingt ihm offenbar genau dies. In seiner „Liebesgeschichte" mit der jähen Wende entsteht ein verblüffender und überraschender Bezug zum Holocaust, dem sich kaum ein Leser, gleich welcher Generation, entziehen kann. Die Betroffenheit der Leser drückt sich nicht nur in den Zahlen der weltweit verkauften Exemplare seines Romans und in der Fülle von Kommentaren und anderen Dokumenten der Beschäftigung damit aus. **Schlink vermeidet eindeutige Festschreibungen von Schuld und Unschuld, Täter und Opfer, Böse und Gut**. Eindeutige Werturteile und Verurteilungen lassen sich nicht vornehmen. So ist beispielsweise Hanna einerseits brutal und herrisch, sie kann andererseits aber auch zart und einfühlsam, empfindlich sein. Ihre Schwäche, ihr Analphabetismus, liefert die Erklärungsmöglichkeit für eine Vielzahl von Entscheidungen und Verhaltensweisen. So vollzieht der **Leser** nach, wie durch überraschende Erkenntnisse und Zusatzinformationen das Bild von einem Menschen ständig neu überdacht und revidiert werden muss. Er **wird genötigt, sich über die Verbrechen und das eigene Verhältnis dazu Gedanken zu machen**. Und er lernt, dass sowohl individuelle Geschichte

---

2 Ebd.

als auch historische Vergangenheit, in die er durch Gruppenzugehörigkeit verwickelt ist, Teile seines Lebens sind. Sie lassen sich nicht abschütteln, verdrängen oder ignorieren.

Unterschiedlicher Umgang der Menschen mit dem Holocaust im Roman

Im *Vorleser* handeln die Menschen auf verschiedene Weise. Da ist die Tätergeneration, deren Motive für ihr Handeln im Verbergen von Defiziten (Hanna), in der **Ausführung von Befehlen und Erledigen von Alltagsaufgaben** (Autofahrer auf dem Weg ins Konzentrationslager) und in gedankenlosem Mitläufertum begründet sind. Es sind im weitesten Sinne der Egoismus und die **fehlende Bereitschaft zur bewussten aktiven Auseinandersetzung oder zum Widerstand**, die dem Tun zu Grunde liegen. Eine weitere, für Betroffene und Beobachter übereinstimmende Haltung ist die der **Betäubung**. Fühllosigkeit, innerliches Unbeteiligtsein, Erstarrtheit in einem Zustand der Betäubung angesichts der ertragenen oder geschilderten Gräueltaten lähmt alle. Diese Haltung wird einerseits als notwendiger Mechanismus zum Überleben des Schreckens dargestellt, gleichzeitig wird aber am Beispiel Michaels und der Tochter verdeutlicht, wie wichtig es ist, nicht in dieser Betäubung zu verharren, sondern zu registrieren, zu analysieren, literarisch zu gestalten und damit **persönliche Betroffenheit zu erreichen und eine selbstkritische Einstellung zu ermöglichen**. Am Beispiel Hannas, die erst mit der Überwindung ihres Analphabetismus in die Phase der Aufarbeitung gehen kann, wird die wichtige Funktion der Literatur noch einmal herausgestrichen.

Gründe für schuldhafte Verstrickung

Alle Menschen, gleich welcher Generation sie angehören, sind in eine individuelle Lebenssituation eingebunden, die ihre individuellen Wünsche und Ziele bestimmt. Alle gehören in einen **zu bewältigenden Alltag**. Innerhalb dieses „Alltags" werden einige Menschen zu Mördern, andere sind Richter oder Aufklärer. Es scheint eine Frage des **Zufalls**, des **Glückes der späten Geburt**, von einer **Vielzahl von Konstellationen** abhängig, ob ein Mensch

Prozess gegen Aufseherinnen und Wachmänner des KZ Bergen Belsen


schuldig wird oder nicht[3]. Nicht nur die „Tätergeneration", sondern auch die „Nachgeborenen" handeln vielfach aus **egoistischen Motiven**. Dem jungen Anwalt Hannas liegt offenbar mehr an seiner Selbstdarstellung und seiner Karriere als an Hanna. Der Studentenalltag der zweiten Generation schließt die Besuche von Prozessen ein. Hier bewältigen die eifrigen Studenten ihren Generationskonflikt und ihren persönlichen Anteil an Schuld durch Vorwürfe gegenüber der Elterngeneration und deren Verurteilung zur Scham. Auch die Reisefreude des Richters und der Staatsanwälte, die gerichtliche und touristische Angelegenheiten bei der Fahrt nach Israel miteinander verknüpfen, wird von Michael (und vom Leser des Romans) skeptisch aufgenommen. Michael entzieht sich einem persönlichen Kontakt zu Hanna nach der Verurteilung ebenfalls aus egoistischen Motiven. **Indem Schlink den Menschen seines Romans ähnliche Grundtendenzen unterstellt, macht er deutlich, wie schwierig es ist und zu allen Zeiten sein**

3 Vgl. Materialien (Ausschnitt zu *Die Ermittlung*)

**wird, nicht schuldig zu werden.** Bemerkenswert ist in diesem Zusammenhang, dass ausgerechnet die angeklagte Hanna einen jüdischen Mädchennamen hat.

### Weitere literarische Verarbeitungen des Themas und Einordnung des Romans

Jede der von Schlink angesprochenen Generationen hat eine eigene Reihe von Texten zu der Thematik hervorgebracht.

Heimkehrer- und Trümmerliteratur

1. **1945–1950:** Direkt nach dem Krieg entsteht die Heimkehrer- und **Trümmerliteratur**, die Literatur des „Kahlschlags". Es sind die Betroffenen und Erschütterten, die Krieg, Gefangenschaft, Schrecken und Erlebnisse der jüngst zurückliegenden Vergangenheit literarisch verarbeiten. Auch das Leid des Holocaust wird auf diese Weise aufgearbeitet. Diese Autorinnen und Autoren sind teilweise selbst knapp dem KZ entkommen. Sie haben Terror, Entrechtung und Bedrohung am eigenen Leib erfahren, mussten ins Exil, sind Heimatlose und Verfolgte gewesen. Oder sie haben die Schrecken als Zeitgenossen miterlebt und setzen nun alles daran, aufzuklären und zu warnen. Es entstehen kurze und lange Prosatexte und eine Vielzahl lyrischer Gestaltungen des Themas. Einige der Texte sind im Exil geschrieben worden. Zu diesen Schriftstellerinnen und Schriftstellern gehören: **Anna Seghers** (Exilantin), **Elisabeth Langgässer** (als Halbjüdin seit 1936 mit Berufsverbot belegt), **Günther Weisenborn**, **Günter Eich** (verheiratet mit Ilse Aichinger), **Rose Ausländer** (wurde als Jüdin von den Nazis verfolgt und überlebte 1941–44 das Czernowitzer Ghetto), **Paul Celan** (seine Eltern wurden deportiert und ermordet, selbst Zwangsarbeit bis 1944 in Rumänien), **Wolfgang Koeppen**, **Ilse Aichinger** (Halbjüdin, von Nazis schikaniert), **Nelly Sachs** (jüdischer Herkunft, Exilantin), **Ilse**

**Blumenthal-Weiß** (eine der fünf Prozent der Überlebenden eines niederländischen KZs), **Gertrud Kolmar** (1943 im KZ umgekommen) u. a.

Politisierung der Literatur

2. **Die 60er Jahre:** Etwa zwei Jahrzehnte nach dem Ende des Zweiten Weltkrieges beginnt eine neue Phase der Auseinandersetzung mit dem Holocaust. Es ist die Zeit der **Politisierung der Literatur**, die Zeit der Studentenrevolten, der heftigen Auseinandersetzung mit den Eltern und dem Establishment. Es wird in verschiedener Hinsicht radikale Kritik geäußert. Der Kalte Krieg, die amerikanische Kriegführung in Vietnam, gesellschaftliche Zustände und Fragen der Vergangenheitsbewältigung werden u. a. Gegenstand der Literatur. An den Universitäten wird durch eine junge Generation die widerstandslose, geradezu willfährige Beteiligung am Nationalsozialismus kritisiert und eine Diskussion um Fragen der Verantwortung, Verdrängung und Versagen der Elterngeneration geführt. Die Tagung des Deutschen Germanistenverbandes (Oktober 1966) steht unter dem Titel „Nationalsozialismus in Germanistik und Dichtung". In Schule und Universität wird Vergangenheitsbewältigung versucht.

   Dokumentartheater

   Eine wichtige literarische Form, die in dieser Zeit gefunden wird, ist das **Dokumentartheater**, das von Peter Weiss am weitesten entwickelt und auch theoretisch begründet wird. Die Präsentation, die Auswahl und der collagenartige Zusammenschnitt authentischer, dokumentarischer Materialien, die in diesen Theaterstücken vorgenommen werden, zeigen auch noch im Nachhinein, wie bestimmte Vorgänge und Geschehnisse, politische Ereignisse wahrgenommen und bewertet wurden. Die Generation der Dokumentartheater-Autoren nimmt für sich in Anspruch, unverhüllt Geschichte zu zeigen, „wie sie wirklich war". Der Frankfurter Auschwitz-Prozess, der nach

191 Verhandlungstagen sein Ende gefunden und die Öffentlichkeit außerordentlich bewegt hat, löst derartige literarische Verarbeitungen aus. Es entsteht Peter **Weiss**' Oratorium *Die Ermittlung*, ein sehr bedeutendes und ergreifendes Beispiel dieses Genres. **Hochhuths** Stück *Der Stellvertreter* führt zu einer erbittert geführten Debatte um die Haltung der katholischen Kirche während des Nationalsozialismus. **Heinar Kipphardt** nimmt in seinem dokumentarisch angelegten Drama (die zu diesem Thema benutzte wissenschaftliche Literatur wird gewissenhaft am Ende aufgeführt) *Joel Brand. Die Geschichte eines Geschäftes* (1965) eine Annäherung an das grauenhafte Geschehen um die Judenverfolgung vor. 1961 wird Adolf Eichmann, der Leiter des Judenreferates im Reichssicherheitsamt der Reichsführung SS ab 1939 und in dieser Funktion Beauftragter mit der Organisation der Transporte der Juden in die Massenvernichtungslager, von Israelis aus Argentinien gekidnappt. In Israel wird ihm der Prozess gemacht, der mit der Todesstrafe endet.[4] Aus den Protokollen der Beweisaufnahme (11.04.–14.08.1961) entsteht 1983 **Kipphardts** Dokumentartheaterstück *Bruder Eichmann*. Schon vorher verarbeitet **Martin Walser** die Prozesse in *Eiche und Angora* (1962) und *Der schwarze Schwan.*
Die Demonstration von Vorurteilsstrukturen, von Sündenbocktheorien, von der kollektiven Verfolgung von Außenseitern, vom latenten alltäglichen Faschismus, wie sie auch in **Frischs** *Andorra* zu finden ist, wird ebenfalls im „Volkstheater" z. B. **Martin Sperrs** (*Jagdszenen aus Niederbayern*, 1966) und später bei **Klaus Pohl** (*Das alte Land*, 1989) oder **Thomas Strittmatter** (*Viehjud Levi*, 1982) wieder aufgenommen.

---

4 Im *Vorleser* wird auf diesen Prozess ausdrücklich im Zusammenhang mit der Fachliteratur zum Thema Holocaust, die sich Hanna in das Gefängnis hat schicken lassen, verwiesen (vgl. S. 193)

Auseinandersetzung mit der Vergangenheit in der DDR

Auch in der DDR beginnt erneut eine Auseinandersetzung mit der Vergangenheit, die man offiziell begraben zu haben glaubte. Beispiele hierfür sind **Jurek Beckers** *Jakob der Lügner* (1969), *Der Boxer* (1976) und *Bronsteins Kinder* (1986), **Franz Führmanns** Erzählung *Das Judenauto* (1962) und **G. Kunerts** *Im Namen der Hüte* (1967).

3. **Die 90er Jahre:** Eine dritte Welle der Auseinandersetzung mit dem Holocaust beginnt am Ende des 20. Jahrhunderts. Die Autorinnen und Autoren, die sich nun neu zu Wort melden, sind überhaupt nicht oder kaum noch mit ihrer eigenen Lebensgeschichte in der Zeit des Nationalsozialismus verwurzelt. Andere (z. B. Robert Bober und Gila Lustiger, *Die Bestandsaufnahme*) sind Kinder von ehemaligen KZ-Opfern und nähern sich, obwohl z. T. lange nach dem Ende des Zweiten Weltkriegs geboren, der Leidensgeschichte ihrer Eltern. Viele Texte, die den Holocaust zum Thema haben, sind im Ausland (USA, Israel, Ungarn, Portugal, Frankreich, Kanada) geschrieben worden von Verfassern, deren Eltern häufig aus Deutschland kommen, das Land rechtzeitig verlassen konnten oder die Ghettos überlebten. So entsteht ein international zu beobachtendes Interesse an Stoffen, die mit dem Zweiten Weltkrieg und dem Holocaust zu tun haben. Als Beispiele dafür seien **Anne Michaels** *Fugitive Pieces* (*Fluchtstücke*, Kanada 1996) und **Robert Bobers** *Was gibt's Neues vom Krieg* (aus dem Französischen von Tobias Scheffel, 1995) genannt. Ein weiterer, Schlinks Roman in vielen Punkten ähnlicher Roman ist **J. H. H. Weilers** *Removed* (1991, unter dem Titel *Der Fall Steinmann* 1998 in Deutschland erschienen). **Uwe Timms** Novelle *Die Entdeckung der Currywurst* (1993, später auch in einer Comic-Version und als Film erschienen) entwickelt die Ereignisse ebenfalls vor dem Hintergrund des Zweiten Weltkriegs. **Christoph Ransmayr** stellt in *Morbus*

Internationales Interesse an Stoffen, die mit dem 2. Weltkrieg zu tun haben

*Kitahara* (1995) seine Personen in die Nachkriegszeit eines fiktiven Ortes Moor. Diesen Texten, wie auch **Schlinks** *Vorleser* und den Erzählungen *Das Mädchen mit der Eidechse* und *Die Beschneidung* (aus *Liebesfluchten*, 2000) ist gemeinsam, dass hier eine Aufarbeitung der Umstände des Zweiten Weltkrieges deutlich aus der Sicht der „Nachgeborenen" vorgenommen wird. Es werden Geschichten erzählt, die zwar den historischen Hintergrund ernst nehmen, aber nicht mehr den kritischen, vorwurfsvollen oder warnenden Ton der vorhergehenden Verarbeitungen aufgreifen. Vielmehr wird eine **allgemeinere Ebene der Auseinandersetzung mit menschlichen Verhaltensweisen, Fragen von Schuld und Sühne, Egoismus und anderen Unzulänglichkeiten** erreicht. Die zeitliche Distanz wird explizit verdeutlicht, ohne dass damit Entlastung oder eine geringere Betroffenheit verbunden ist. Vielmehr wird deutlich gemacht, dass es nicht möglich ist, dem historischen Erbe zu entkommen, es zu bewältigen, indem man den „Holocaust unter einem Denkmal entsorgt"[5]. Auffallend und fast erstaunlich ist dennoch die unerhörte Leichtigkeit, sogar Heiterkeit, gemischt mit Melancholie, die vielen Texten als Stimmung zu Grunde liegt.

Aufarbeitung aus der Sicht der „Nachgeborenen"

Die Gegenwartsliteratur nimmt sich immer noch dieses Themas an. **Nora Bossong** rekonstruiert in ihrem Roman *Webers Protokoll* (2009) das Leben des Diplomaten Weber in und nach der Hitler-Ära. **Iris Hanika** thematisiert in ihrem Roman *Das Eigentliche* (2010) Erinnerungen und Leiden an der NS-Vergangenheit, Glück und Unglück, Hilflosigkeit im Umgang mit der Geschichte.

Gegenwartsliteratur

---

5 B. Schlink, *Die Beschneidung*, in: Liebesfluchten, S. 229

Filme

Bei **Filmen**, die das Thema Holocaust aufnehmen, ist ebenfalls der oben genannte Wechsel in der Herangehensweise zu beobachten. Während Filme wie die Serie *Holocaust* und *Schindlers Liste* sich noch auf die detaillierte Vermittlung der schrecklichen Geschehnisse konzentrierten, schlagen Filme wie *Das Leben ist schön* (Roberto Benigni, 1999) oder *Zug des Lebens* (Radu Mihaileanu, 2000) einen anderen Ton an. Episoden menschlichen Lebens, in denen es um Liebe und Liebesleid, Vertrauen und Mut, Zusammenhalt auch in schwierigen Zeiten, um Heiteres und Bedrückendes, um Groteskes und Witziges geht, werden vor dem Hintergrund der historischen Ereignisse erzählt; es entsteht aber kein Anspruch mehr auf dokumentarische Genauigkeit, auf Glaubwürdigkeit in der Darstellung der historischen Fakten; die Kenntnis der Schrecken der NS-Zeit wird eher vorausgesetzt, als dass davon in den Filmen vorrangig berichtet wird. Häufig werden die Vertreter des NS-Regimes vor allem der Lächerlichkeit preisgegeben (z. B. bei der „Übersetzung" der Lagerregeln durch den Vater als Spielregeln für ein „Spiel", bei dem ein Panzer zu gewinnen ist in *Das Leben ist schön*, oder bei dem Auftritt der Militärs in Unterhosen in *Zug des Lebens*. Radu Mihaileanu sagt zu seinem Film: „Es ist Zeit, in einem neuen Stil über die Shoah zu sprechen. Viele haben vor allem den Tod gezeigt. Ich zeige das Leben, das da getötet wurde"[6]).

Wenn auch nichts Komisches oder Humorvolles in seinem Roman enthalten ist, so reiht sich Schlink dennoch mit seiner Erzählweise in diesen Tenor ein: „Was vielleicht am meisten verblüfft, ist die Selbstverständlichkeit, ja die Leichtigkeit und Eleganz, mit der der Autor die peinigende, kaum erzählbare Geschichte vorträgt."[7]

---

6 Zit. nach Programm-Kino-Plakat zu *Zug des Lebens*

7 Peter Schneider, in seiner Laudatio anlässlich der Verleihung des Fallada-Preises an Schlink, zu *Der Vorleser*

## 2.3 Angaben und Erläuterungen zu wesentlichen Werken

ZUSAMMEN-FASSUNG

1987 ***Selbs Justiz*** (Kriminalroman)
1988 ***Die gordische Schleife*** (Kriminalroman)
1992 ***Selbs Betrug*** (Kriminalroman)
1995 ***Der Vorleser*** (Roman)
2000 ***Liebesfluchten*** (Geschichtensammlung)
2006 ***Die Heimkehr*** (Roman)
2010 ***Sommerlügen*** (Geschichtensammlung)

Daneben ist Schlink Verfasser juristischer Fachbücher.

### Wesentliche Werke

*Selbs Justiz*

***Selbs Justiz* (1987)**

„Privatdetektiv Gerhard Selb, 68, wird von einem Chemiekonzern beauftragt, einem „Hacker“ das Handwerk zu legen, der das werkseigene Computersystem durcheinander bringt. Bei der Lösung des Falles wird er mit seiner eigenen Vergangenheit als junger, schneidiger Nazi-Staatsanwalt konfrontiert und findet für die Ahndung zweier Morde, deren argloses Werkzeug er war, eine eigenwillige Lösung“.[8]

Bezug zu *Der Vorleser*: Verstrickung in und Umgang mit Schuld, NS-Vergangenheit, Juristisches

---

8 Kurzangabe zum Text im Anhang von *Liebesfluchten*, Diogenes, Zürich, 2000

*Die gordische Schleife*

### *Die gordische Schleife* (1988)

„Georg Polger hat seine Anwaltskanzlei in Karlsruhe mit dem Leben als freier Übersetzer in Südfrankreich vertauscht und schlägt sich mehr schlecht als recht durch. Bis zu dem Tag, als er durch merkwürdige Zufälle Inhaber eines Übersetzungsbüros wird – Spezialgebiet: Konstruktionspläne für Kampfhubschrauber.“[9] Es stellt sich heraus, dass seine Freundin Agentin ist und im Auftrag eines Spionageringes alle Pläne fotografiert und weiterreicht. Bis Polger begreift, dass er durch seine Naivität zum Opfer geworden ist, entwickelt sich eine dramatische und für ihn lebensgefährliche Situation. Er reist seiner Ex-Freundin nach New York nach, deckt dort mühevoll alle Zusammenhänge auf und löst die Angelegenheit auf seine Weise.

Bezug zu *Der Vorleser*: Naivität des Protagonisten, Verstrickung in Schuld anfangs ohne sein Wissen, Beziehung zwischen Protagonisten und der Freundin u. a. durch Unkenntnis der wahren Identität der Frau und Distanz geprägt, Unsicherheit der Rolle, Liebe und Lust, Suche nach einem Zuhause, Leitmotive (z. B. Eisenbahn, Träume, Haus).

*Selbs Betrug*

### *Selbs Betrug* (1992)

Privatdetektiv Gerhard Selb sucht im Auftrag eines Vaters nach der Tochter, die von ihren Eltern nichts mehr wissen will. Im Laufe der Ermittlungen stellt sich immer deutlicher heraus, dass hier keine Vater-Tochter-Beziehung vorliegt, sondern dass die junge Frau vor etwas anderem davonläuft.

Bezug zu *Der Vorleser*: Bahnhofstraße, Juristisches, Frauenfigur, NS-Vergangenheit

---

9 Aus dem Klappentext im Anhang zu Schlinks *Liebesfluchten*, Diogenes, Zürich, 2000

*Liebesfluchten*

***Liebesfluchten* (2000)**

Sammlung von 7 Geschichten

1. *Das Mädchen mit der Eidechse*
   Ein Junge verliebt sich in ein Bild (Mädchen mit der Eidechse). Seine Nachforschungen ergeben, dass es sich um das Bild eines als entartet bewerteten Künstlers der NS-Zeit handelt. Weiterhin ergeben sich dunkle Teile der Vergangenheit seines Vaters, der während der Zeit Kriegsgerichtsrat war.
2. *Der Seitensprung*
   Die Geschichte einer komplizierten Ost-West-Freundschaft zwischen zwei Männern und einer Frau um die Zeit des Falls der Mauer. Es geht um gegenseitige Instrumentalisierung, Einbindung in politische Geschehnisse, Treue, Vertrauen und Vertrauensbruch, Flucht in die Liebe und von ihr weg.
3. *Der Andere*
   Nach dem Tod seiner Frau entdeckt ein Pensionär, dass seine Frau in der Beziehung zu einem anderen Mann offenbar eine ganz andere war. Aus Eifersucht nimmt er unter einem Vorwand die Beziehung zu diesem anderen auf, nur um letztendlich festzustellen, dass seine Frau jedem der Männer das gegeben hat, was diese jeweils zu nehmen fähig waren.
4. *Zuckererbsen*
   Ein Mann jongliert mit dem Verhältnis zu drei Frauen, bis er schließlich nicht mehr kann und ein neues Leben in der Tarnung eines Mönches beginnt. Durch einen Unfall wird er zum Krüppel und ist dann doch wieder seinen drei Frauen, die sich inzwischen verbündet haben, ausgeliefert.
5. *Die Beschneidung*
   Ein junger Deutscher verliebt sich während seines Aufenthaltes in New York in eine junge jüdische Frau. Trotz ihrer gegenseitigen Liebe scheint das Trennende zwischen den beiden unüber-

brückbar. Als er sich endlich entschieden hat, sich beschneiden zu lassen, um auch rituell zu ihr zu gehören, stellt sich heraus, dass sie dieser Tatsache keine Beachtung geschenkt hat und schenkt. Er verlässt sie.

6. *Der Sohn*
   Ein Professor für Völkerrecht soll als deutscher Beobachter mithelfen, Frieden zwischen Militärtruppen und Rebellen herzustellen. Er wird erschossen, bevor er am Zielort ankommt, sieht aber seinen Tod als Sühne für unterlassene Hilfe und Kampf um seinen Sohn.
7. *Die Frau an der Tankstelle*
   Nach mehr als 25 Jahren Ehe scheinen nur noch Rituale zwischen den Eheleuten übrig geblieben zu sein. Um einer Neubelebung der Beziehung willen machen sie eine ausgedehnte Amerikareise. Da begegnet der Mann der ‚Frau an der Tankstelle', die ihn schon seit vielen Jahren im Traum verfolgt, steigt völlig unvermittelt aus seinem bisherigen Leben aus und lässt seine Frau und alle Sicherheiten zurück.
   Bezug zu *Der Vorleser*: NS-Vergangenheit, Liebe, Lust und Leidenschaft, Entscheidungen und Fluchten, starke leitmotivische Anklänge (Traum von Haus und Frau, Eisenbahn), Rituale, Juristisches

*Die Heimkehr*

***Die Heimkehr*** **(2006)**

Die im Roman wörtlich eingeschobenen Fragmente eines Heftchenromans über einen Soldaten, der aus Sibirien nach Hause zurückkehrt, veranlassen den Protagonisten Peter Debauer, nach der eigenen Geschichte zu suchen. Deutsche Vergangenheit wird an der Lebensgeschichte eines Einzelnen aufgezeigt.

Bezug zu *Der Vorleser*: Irrfahrt, Heimkehr, Odyssee, deutsche Nazi-Vergangenheit, Nachkriegsgeschichte, Liebe, Suche nach der Identität

*Sommerlügen*

***Sommerlügen* (2010)**

Sammlung von Geschichten, die um das Thema Glück, Sehnsucht danach, Illusion kreisen. Die Protagonisten der Geschichten sind in Lebenslügen verstrickt, gewinnen unvermittelt neue Erkenntnisse oder stellen fest, dass sie an ihrem Leben doch nichts ändern wollen.

Bezug zum *Vorleser*: Neuordnung der Geschlechterrollen (eigenwillige und resolute Frauen, gefühlsbetonte und unentschlossene Männer)

THEMATISCHE BEZÜGE IN SPÄTEREN TEXTEN SCHLINKS

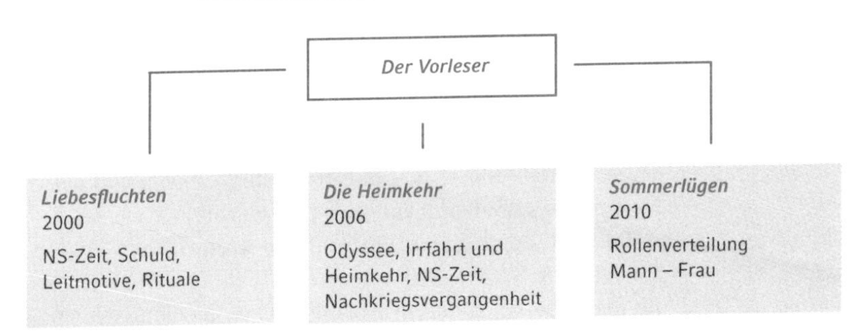


## Lebens- und schaffensprägende Einflüsse

Schlink ist Jurist

**Bernhard Schlink ist hauptberuflich Jurist**. Diese Tatsache schlägt sich in verschiedener Hinsicht in seinen Texten nieder. Zum einen ist nicht zu übersehen, dass **viele seiner Protagonisten Juristen** sind (Selb, Michael, der Vater des Jungen aus der Erzählung *Das Mädchen mit der Eidechse* und der Junge selbst, der Professor für Völkerrecht aus der Erzählung *Der Sohn* u. a.) oder im juristischen Milieu zu tun haben. Weiterhin wird inhaltlich – so auch in *Der Vorleser* – **das Prinzip von Schuld und Sühne** verfolgt. Verfehlungen und Gerichtsurteile, **juristische Denkweise** sind allenthalben unübersehbar und werden von Lesern und Rezensenten ausdrücklich aufgenommen.[10] In der Laudatio auf B. Schlink heißt es zu seinem Roman *Der Vorleser*: „Das Buch erzählt von der Hilflosigkeit juristischer Formeln auf die größte Katastrophe unserer Zeit."[11]

Zum anderen wirkt sich die **juristische Praxis** auf Schlinks Erzählweise aus. „Ich schreibe auch als Jurist gern und versuche auch als Jurist, klar und schön zu schreiben. Beides ergänzt sich auch sonst", erläutert Schlink in einem Interview mit Tilman Krause (Die Welt v. 14. 10. 1999) seine Konzeption und den Bezug zwischen dem Juristen und dem Schriftsteller Bernhard Schlink. Die viel gelobte **knappe und präzise Darstellungsweise**, das Schnörkellose und der Verzicht auf ausschweifendes Fabulieren sind sicherlich als eine Auswirkung von Schlinks beruflicher Tätigkeit als Verfassungsrichter in Nordrhein-Westfalen und der eines Juraprofessors in Berlin auf seine Art zu schreiben zu sehen.

Literarische Bezüge

Im *Vorleser* wird eine **Vielzahl von literarischen Texten** behandelt (vgl. S. 101). Dies sind große Texte der Weltliteratur und sie reichen zeitlich gesehen bis in die zweite Hälfte des 20. Jahrhunderts. Schlink selbst gibt auf Befragen an, **besonderes Interesse für die Literatur des 19. Jahrhunderts, insbesondere die Literatur des Vormärz,** zu haben. Die Einflüsse dieser Erzähltradition werden verschiedentlich von Kritikern herausgestrichen: „... Schlinks beste Geschichten wirken ‚aufrichtig' und suggerieren damit die **Authentizität der großen Erzähler des 19. Jahrhun-**

---

10 Vgl. dazu auch die Art der Darstellung in Thomas Wirtz, *Immer nur lebenslänglich, Bernhard Schlink verhängt Liebesstrafen*, FAZ 12. 2. 2000

11 Christoph Stölzl, *Ich hab 's in einer Nacht ausgelesen*, Laudatio auf Bernhard Schlink, Die Welt vom 13. 11. 2000

**derts.“**[12] Darüber hinaus wird Schlink eine **„Verschmelzung von Erzählmustern der deutschen Novellistik des 19. Jahrhunderts und zeitdiagnostischem Realismus, wie er in Amerika Tradition hat“**[13], nachgesagt. In der Tat bekräftigt Schlink verschiedentlich ein spezielles Interesse an der angelsächsischen Literatur, besonders der amerikanischen. Schlink begründet dieses Interesse mit dem Gedanken der Demokratie, der dort häufig aufgegriffen wird.

Ebenfalls in der Tradition amerikanischer Literatur (aber nicht nur dieser) steht Schlinks **bewusste Ablehnung der Unterscheidung zwischen E- und U-Kultur**, d. h. ernster und unterhaltender Literatur. Damit reiht sich Schlink ein in eine große Gruppe postmoderner Autoren, die seit Leslie A. Fiedlers Aufsatz von 1968 *Überquert die Grenze, schließt den Graben*[14] die Aufhebung der Trennung zwischen unterhaltender und kunstvoller literarischer Gestaltung propagieren und praktizieren.

---

12 Martin Lüdke, *Der Mönch kam nicht mit*, Die Zeit, 3. 2. 2000
13 Tilman Krause, *Schwierigkeiten beim Dachausbau*, Die Welt von 29. 1. 2000
14 Die Übersetzung des Aufsatzes ist abgedruckt in: Wolfgang Welsch (Hrsg.), *Wege aus der Moderne*, Weinheim 1988

# 3. TEXTANALYSE UND -INTERPRETATION

## 3.1 Entstehung und Quellen

> „Sie ist reizbar, rätselhaft und viel älter als er ... und sie wird seine erste Leidenschaft. Eines Tages ist sie spurlos verschwunden. Erst Jahre später sieht er sie wieder – als Angeklagte im Gerichtssaal."

Mit dieser knappen Beschreibung wirbt der Verlag für den Roman Bernhard Schlinks, der seit 1995 weltweit Aufsehen erregt hat. Es ist Schlinks erster Roman, der nicht eindeutig als Kriminalgeschichte konzipiert ist. Die Erstveröffentlichung seines Romans war ursprünglich in den USA geplant. Dazu kam es nicht, aber 1999, vier Jahre nach seinem Erscheinen, eroberte die Übersetzung als erstes deutsches Buch die amerikanischen Bestsellerlisten. Schauplatz des ersten Teils des Romans ist Heidelberg und Umgebung. Dort hat B. Schlink Kindheit und Jugend verbracht und Jura studiert.

⇨ Vgl. S. 64 Worterklärung ‚Stute' und in den Materialien die Aussage der Zeugin, S. 113

Als Jurist hat er sich intensiv mit den Verbrechen der NS-Zeit und den anschließenden Prozessen (auch zu Hermine Braunsteiner) auseinandergesetzt. Dennoch verweist Schlink ausdrücklich darauf, dass es keine besondere Vorlage zu dem Roman gegeben hat.

## 3.2 Inhaltsangabe

ZUSAMMEN-FASSUNG

Der Roman erzählt die Beziehung zwischen Michael und der um 21 Jahre älteren Hanna über drei Stationen ihres Lebens. Nach einem Sommer der leidenschaftlichen Beziehung, die durch feste Rituale – Vorlesen, Duschen, Lieben und Beieinanderliegen – geprägt ist, verschwindet Hanna plötzlich spurlos. Michael bleibt von Schuldgefühlen geplagt zurück. Erst als Jurastudent begegnet er ihr wieder. Sie ist Hauptangeklagte und wird als ehemalige KZ-Aufseherin in dem Prozess verurteilt, den Tod vieler jüdischer Frauen und Mädchen verschuldet zu haben. Michael erkennt im Laufe des Prozesses, dass Hanna Analphabetin ist und Zeit ihres Lebens mit allen Mitteln versucht hat, die Entdeckung dieser Tatsache zu verhindern. Er unterlässt es, diese Erkenntnis zur Entlastung Hannas dem Richter mitzuteilen. Hanna wird zu lebenslanger Inhaftierung verurteilt. Michael wird Jurist, bekommt ein Kind, die Ehe scheitert. Erst nach Jahren nimmt er wieder Kontakt zu Hanna auf, indem er ihr Kassetten mit Vorgelesenem schickt, allerdings keinerlei privaten Kontakt pflegt. Hanna lernt mithilfe dieser Texte im Gefängnis lesen und schreiben. Nach 18 Jahren Haft bereitet Michael zögerlich und nur auf Bitte der Gefängnisleiterin die Zeit nach der Entlassung vor und besucht Hanna erstmalig im Gefängnis. Dabei stellt er fest, wie alt und müde sie geworden ist. Am Tag vor der Haftentlassung begeht Hanna Selbstmord.

## I. Teil

*Michael als Jugendlicher; Liebesaffäre mit Hanna; Ritual des Vorlesens; Hannas plötzliches Verschwinden*

Liebesgeschichte

Der erste Teil des Romans beschreibt die Liebesgeschichte zwischen dem fünfzehn Jahre alten Schüler Michael Berg und der sechsunddreißigjährigen Hanna Schmitz.

Erste Begegnungen zwischen Hanna und Michael

In der Retrospektive beginnt der Ich-Erzähler Michael Berg mit der Angabe seiner Krankheit, der Gelbsucht, die er mit fünfzehn Jahren hat und die ihn mehrere Monate ans Bett fesselt (von „einem Montag im Oktober", S. 5, bis „Ende Februar", S. 7). Der Ausbruch der Krankheit fällt zusammen mit der ersten Begegnung mit seiner späteren Geliebten. Sie nimmt sich des Jungen an, als dieser sich übergeben muss. Für den Erzähler ist im Nachhinein bestimmend das Gefühl der Scham, der Schwäche und Hilflosigkeit, dennoch nimmt der pubertierende Junge bei der tröstenden Umarmung das irritierend Weibliche der Frau wahr. Durch die Aufforderung der Mutter, sich für die Hilfe zu bedanken (S. 7), kommt es dann zu der nächsten Begegnung. Er wird, da er ihren Namen nicht weiß, durch einen Hausbewohner zu Frau Schmitz geschickt. Er findet sie in der Küche beim Bügeln. Während die Erinnerung an Begrüßung, Gesprächsthemen und sogar der erste Eindruck von ihrem Gesicht verloren gegangen sind („Ich erinnere mich nicht", S. 12, vgl. auch S. 13 oben und unten, S. 14), sind die Räumlichkeiten und vor allem die Bewegungen der Frau nachdrücklich in Erinnerung. Frau Schmitz will ihn ein Stück begleiten und zieht deshalb Strümpfe an. Michael kann seine „Augen nicht von ihr lassen" (S. 15, 17, 18). Er ist so irritiert von ihrer Weiblichkeit, dass er fluchtartig aus der Wohnung stürzt. Mit der Distanz der Jahre kommentiert er, dass ihm damals nicht klar gewesen sei, worin das Faszinierende dieser Frau gelegen hatte: Das Verführerische

Michael ist fasziniert von Hanna

bestand in der „Weltvergessenheit“ der „Haltungen und Bewegungen“ (S. 17), in der „Einladung, im Inneren des Körpers die Welt zu vergessen“ (S. 18). Nach einer Woche, die durch Fantasien, Wünsche, Sehnsüchte und das Ringen um Entscheidung geprägt ist, besucht Michael Frau Schmitz noch einmal. Dieses Mal muss er auf sie warten. Als sie schließlich von ihrer Arbeit als Straßenbahnschaffnerin kommt, bittet sie ihn, Kohleschütten hochzutragen. Durch ein Missgeschick macht er sich so schwarz vom Kohlestaub, dass sie ihm ein Bad einlaufen lässt und ihn danach abtrocknet. Es kommt zum ersten Geschlechtsverkehr zwischen der erfahrenen, reifen Frau und dem einerseits unsicheren und ängstlichen, andererseits erregten und von der Sicherheit und Schönheit der Frau überwältigten Jungen. Dieses Erlebnis ist der Anfang seiner Liebe zu ihr (S. 28) und die Loslösung von Familie und Kindheit beginnt. In den nächsten Tagen schwänzt er regelmäßig die letzten Schulstunden, um sich mit Frau Schmitz zu treffen und sich dem Ritual des Badens und des sexuellen Verkehrs hinzugeben. Als Hanna – Michael hat inzwischen ihren Namen erfragt – aber erfährt, dass er ihretwegen die Schule versäumt, wird sie wütend und wirft ihn raus. Nur unter der Bedingung, dass er seine Arbeit macht, erlaubt sie ihm wiederzukommen. Die Verwirrung Michaels ist übergroß, er fragt sich, welche Rolle er für sie spielt (S. 37), verspricht aber dann nach Kräften für den Schuljahresabschluss zu arbeiten. Dieses Versprechen hält er. Hanna zeigt sich an dem Lernstoff, besonders an Sprachen und Literatur interessiert und bittet Michael, ihr aus Texten vorzulesen. So ändert sich ihr tägliches Ritual zu einer Abfolge von Vorlesen, Duschen, miteinander Schlafen und Beieinanderliegen. Michael schafft die Versetzung in die nächste Klasse.

Ritual des Vorlesens, Duschens, miteinander Schlafens, Beieinanderliegens

In den Osterferien kommt es zum ersten großen Streit zwischen den beiden. Michael fährt am frühen Morgen mit der Straßenbahn, in der sie Dienst hat, steigt aber in der Hoffnung auf „Privatheit, eine Umarmung, einen Kuss“ (S. 45) in den leeren hinteren Wagen ein. Hanna ignoriert ihn während der Fahrt und wirft ihm später vor, er habe sie nicht kennen wollen. Michael ist verärgert, beleidigt, von ihrer Kälte irritiert und fühlt sich unfair behandelt. Dennoch ist er letztlich bereit, alle Schuld auf sich zu nehmen und zu gestehen, dass er „gedankenlos, rücksichtslos, lieblos gehandelt“ (S. 49) habe. Auch bei den folgenden Streitigkeiten unterwirft er sich in dem Machtspiel, um sich ihre Nähe und Zuneigung zu bewahren.

Eskalierender Streit während der Fahrradtour

Während der mehrtägigen Fahrradtour, die die beiden im Frühjahr unternehmen, kommt es zu einer eskalierenden Situation. Michael, dem Hanna die Bestimmung der Fahrradroute, die Auswahl der Gasthöfe zur Übernachtung und sogar der Speisen und Getränke überlassen hat, verlässt sie eines Morgens, als sie noch schläft, kurz, legt ihr aber einen Zettel hin. Als er zurückkehrt, findet er Hanna aufgebracht und außer sich vor Zorn (S. 54). Ehe er etwas erklären kann, schlägt sie ihn mit ihrer Gürtelschnalle ins Gesicht, sodass seine Lippe blutet. Dann beginnt sie fassungslos zu weinen. Michael hat keine Erfahrungen mit einem solchen Verhalten, da in der Familie Konflikte durch Gespräche gelöst werden. Sie lieben sich schließlich, aber eine Erklärung erfolgt nicht, der Zettel mit der Nachricht ist verschwunden und Michael ist wieder bereit, die Schuld auf sich zu nehmen und das Ganze für ein Missverständnis zu halten. Dennoch erinnert sich Michael, dass der Streit ein innigeres Verhältnis zueinander nach sich gezogen habe.

Die letzte Woche der Osterferien verbringt Michael zu Hause. Durch seine kleine Schwester lässt er sich zum Diebstahl für sie und Hanna hinreißen, wird allerdings fast erwischt. An einem Abend lädt er Hanna zu sich zum Essen ein. Hanna drückt durch ihr Verhalten aus, dass sie sich in dem durch Bücher und Intellektualität geprägten Haus „als Eindringling“ (S. 62) fühlt.

Mit dem neuen Schuljahr beginnt ein neuer Abschnitt für Michael. Durch die Auflösung der alten Klassen werden neue Bekanntschaften und Freundschaften mit Gleichaltrigen geknüpft. Auch Mädchen, wie z.B. seine Banknachbarin Sophie, spielen eine immer größere Rolle. Michael profitiert dabei aus seiner Beziehung zu Hanna, die ihm Reife und Erfahrenheit vermittelt hat. Den Sommer bezeichnet er als „den Gleitflug" (S. 67) seiner Liebe zu Hanna und nimmt damit die Gefährdung und das Ende der Beziehung vorweg, betont aber gleichzeitig das Beglückende. Noch einmal kommt es zu einem Moment von „eigentümlicher Innigkeit" (S. 69), als Michael Hanna bei einem ihrer heimlichen Treffen erklärt, warum er sich bei ihr an ein Pferd erinnert fühlt. Hanna zeigt deutliches Entsetzen, während Michael diesen Vergleich durchweg positiv meint. Sie akzeptiert und versteht dann jedoch seine Erläuterungen. Ihr Zusammensein ist weiterhin durch das gewohnte Ritual bestimmt: Michael liest vor, bevor sie sich duschen und lieben; gemeinsam besuchen sie einmalig das Theater in der Nachbarstadt. Auch wenn er sich dort, wo die beiden nicht bekannt sind, durch Gestik und Verhalten frei zu ihr bekennt, wird immer deutlicher, dass der Beziehung die tragende gemeinsame Basis fehlt (S. 75). Michael entdeckt, dass er seinen Freunden gegenüber die Existenz Hannas und die Bedeutung, die sie für ihn hat, verschweigt. Er bezichtigt sich deswegen des Verrates an Hanna, wobei er sich auf der Skala ‚verschweigen – verleugnen – verraten' eindeutig zur Schuld bekennt. Dennoch verbringt er immer mehr Zeit mit seinen Freunden und genießt „die Leichtigkeit" (S. 70) des Umgangs miteinander, besonders im Kontrast zur zeitweiligen schlechten Laune Hannas und zu ihrem ständigen Ausweichen auf seine Fragen nach ihrem Leben und ihrer Vergangenheit. Ende Juli spürt er, dass ein besonderer Druck auf Hanna lastet. Michael will ihr in dieser Situation, die sie offenbar aufs

„Gleitflug" der Liebe

Michael vergleicht Hanna mit einem Pferd

Wachsende Bedeutung der Freunde

Äußerste quält und sie empfindlich und unwirsch, aber auch hilflos macht, helfen. Sie lehnt jede Anteilnahme ab. Dann scheint die Angelegenheit bereinigt und es kommt noch einmal zu einem in höchstem Maße erregenden und intensiven sexuellen Erlebnis. Im Schwimmbad sieht er sie dann zum ersten und einzigen Male unverhofft in der Öffentlichkeit. Bevor er jedoch zu ihr gegangen ist, ist sie verschwunden. Sie bleibt verschwunden und seine Nachforschungen ergeben, dass sie ein Angebot zur Weiterbildung als Fahrerin ausgeschlagen, ihren Posten und die Wohnung gekündigt hat und ohne konkrete Angabe einer Adresse nach Hamburg umgezogen ist. Michael bleibt mit der Sehnsucht seines Körpers nach Hanna und dem Gefühl der Schuld zurück. Er glaubt, dass ihr Weggang die „Strafe" für seine „Halbherzigkeit der letzten Monate" (S. 80) sei.

Hanna verschwindet

## II. Teil

*Michael als Student; Prozess und Verurteilung Hannas; kein direkter Kontakt; Michael entdeckt Hannas Analphabetismus*

Das erste Kapitel des zweiten Teils schließt sich unmittelbar an den ersten Teil an und enthält, stark zeitraffend erzählt, die Reaktion Michaels auf das plötzliche und unverständliche Verschwinden Hannas, das Ende der Schulzeit und die Aufnahme des Studiums der Rechtswissenschaft. Er beschreibt die Abnahme sowohl der Erinnerung an Hanna als auch der Sehnsucht seines Körpers nach ihr und reflektiert aus der Distanz durchaus kritisch sein Verhalten. Der Entschluss, sich unverletzbar zu machen, sich „nie mehr demütigen lassen und demütigen, nie mehr schuldig machen und schuldig fühlen, niemand mehr so lieben, dass ihn verlieren weh tut" (S. 84), habe ihn unnahbar, kalt, großspurig und arrogant, gleichzeitig aber empfindsam gemacht.

Wiedersehen mit Hanna im Gerichtssaal

Mit dem ersten Satz des zweiten Kapitels beginnt dann der nächste große Erzählabschnitt: Das Wiedersehen Hannas im Gerichtssaal und der Verlauf der Verhandlungen. Michael nimmt als Jurastudent an einem Seminar über Nazi-Verbrechen teil, das als Praxisanteil die Verfolgung eines Prozesses, in dem KZ-Aufseherinnen sich zu verantworten haben, enthält. Hanna wird vorgeworfen, als Angehörige der SS 1944 an der Selektion und am Tod zahlloser Menschen in einem polnischen KZ beteiligt gewesen zu sein. Michael verfolgt jeden Tag der Gerichtsverhandlung. Aus der gehobenen und beschwingten Stimmung, mit der die Studenten „vom KZ-Seminar" (S. 88) den Prozessverlauf verfolgen, wird bei Michael, nachdem er Hanna erkannt hat, zunehmend Anspannung, eine Stimmung, die er auch bei dieser beobachtet, obwohl sie auf die anderen Beobachter eher hochmütig wirkt. Gleichzeitig registriert er für sich sowohl in der Erinnerung an die vergangene Zeit mit Hanna als auch während der Gerichtsverhandlung ein Ge-

Michael mit dem Professor des ‚KZ-Seminars' (aus dem Kinofilm USA/BRD 2008).

fühl der Betäubung und glaubt „ein ähnliches Betäubtsein auch bei anderen beobachten zu können" (S. 97).

Die Anklage

Die Anklage, die in der zweiten Woche verlesen wird (S. 101), gilt neben Hanna vier weiteren Frauen, die Aufseherinnen in einem kleinen Lager bei Krakau, einem Außenlager von Auschwitz, waren und im Frühjahr 1944 von Auschwitz dorthin versetzt worden waren. Die inhaftierten Frauen mussten in einer Munitionsfabrik arbeiten. Die Anklage stützt sich hauptsächlich auf ein Buch, das eine von zwei Überlebenden der Häftlinge (Mutter und Tochter) in Amerika veröffentlicht hatte. Ein Anklagepunkt ist natürlich grundsätzlich das Verhalten in Auschwitz, hauptsächlich sind aber zwei Anklagepunkte zu verhandeln:

1. Die Selektion im Lager. Arbeitsunfähige Frauen und Mädchen wurden nach Auschwitz in die Vernichtung geschickt. Die Anzahl der Zurückgeschickten richtete sich nach der Anzahl der Neuzugänge.
2. Die Bombennacht, in der alle Gefangenen in einer brennenden Kirche eingeschlossen und dem Tod überlassen wurden. Das gesamte Lager befand sich auf einem Zug nach Westen, als sie in einer Nacht von Bomben angegriffen wurden. Den Angeklagten wird vorgeworfen, dass sie die Tür der brennenden Kirche hätten aufschließen können, dies aber nicht taten.

Hanna verhält sich ungeschickt vor Gericht

Michael beobachtet im Verlaufe des Prozesses das ungeschickte Verhalten Hannas, das sie innerhalb von kurzer Zeit vereinzelt. Die anderen Angeklagten und ihre Verteidiger nutzen Hannas Bereitwilligkeit aus, dort Schuld einzugestehen, wo sie es für richtig hält, in anderen Punkten aber irritierend beharrlich zu sein, und weisen ihr die Hauptschuld zu. Hanna ist nach Meinung Michaels ganz offensichtlich ratlos und verwirrt im Umgang mit Fragen, die sich auf die Anklageschrift, das Buch der Tochter, die Protokolle und andere Schriftstücke, die den Angeklagten zugeschickt worden waren, beziehen.

Im Rahmen der Vernehmungen fällt der Tochter, die das Buch verfasst hat, eine zusätzliche Begebenheit ein: Hanna habe einige besonders zarte Mädchen unter ihren persönlichen Schutz gestellt und diese abends immer zu sich geholt. Nur eines der Mädchen habe das streng auferlegte Schweigen über die abendlichen Tätigkeiten gebrochen. Sie alle hatten Hanna vorlesen müssen, waren dann aber irgendwann mit den Transporten nach Auschwitz in den Tod geschickt worden. Hanna reagiert mit Schweigen auf die Anschuldigungen; Michael ist verunsichert und erregt in Erinnerung an seine Zeit des Vorlesens mit Hanna und fragt sich zum wiederholten Male, welche Rolle er für sie gespielt hat. Hanna blickt ihn zum ersten Mal seit dem Beginn des Prozesses gezielt an, aber „ihr Gesicht bat um nichts, warb um nichts, versicherte oder versprach nichts. Es bot sich dar" (S. 112).

Michael ist verunsichert im Hinblick auf seine Rolle für Hanna

Im Zusammenhang mit dem Marsch der Gefangenen in den Westen und dem Tod nahezu aller Gefangenen wird ein Bericht aus den Akten der SS hinzugezogen. Alle Angeklagten bezeichnen der Reihe nach den Bericht als falsch und bestreiten jede Schuld am Tod der Gefangenen, auf Hanna jedoch wird insbesondere von einer der angeklagten Frauen nicht nur die Alleinschuld an den Vorkommnissen, sondern auch noch das Abfassen des Berichtes geschoben. Hanna dementiert zwar anfangs, den Bericht geschrieben zu haben, gibt es dann aber, als der Vorsitzende einen Schriftvergleich machen lassen will, „zunehmend alarmiert" (S. 124) zu.

Michael findet dann bei einem sonntäglichen Spaziergang die Erklärung für Hannas rätselhaftes und widersprüchliches Verhalten. Er erkennt, dass sie Analphabetin ist, dass sie nicht lesen und nicht schreiben kann und dieses Geheimnis um jeden Preis unentdeckt lassen wollte und will.

Michael entdeckt Hannas Analphabetismus

Hanna kämpft in den folgenden Gerichtsverhandlungen um das, was sie als recht und richtig empfindet, Michael kämpft mit einer Entscheidung, was er mit seiner Erkenntnis tun soll. Erfolglos konfrontiert er Freunde und sogar den Vater mit einer abstrakten Fassung seines Konfliktes, zwischen Verstehen und Verurteilen nicht entscheiden zu wollen. Nach einem Besuch des Konzentrationslagers Struthof-Natzweiler trifft er dann schließlich doch die Entscheidung, zum Richter zu gehen. Dieser plaudert, von sich selbst überzeugt, über Michaels und das eigene Studium und Michael bringt nicht den Mut auf, den eigentlichen Grund seines Kommens anzuschneiden und dem Richter seine Erkenntnis über Hanna mitzuteilen (S. 154 f.). Auch mit Hanna kann Michael persönlich nicht reden. Hanna wird zu lebenslanger Haft verurteilt, die anderen Frauen bekommen zeitliche Freiheitsstrafen. Ihre Reaktion auf die Verlesung der Strafe ist ein „hochmütiger, verletzter, verlorener und unendlich müder Blick" (S. 157).

Hanna wird zu lebenslanger Haft verurteilt

## III. Teil

*Michael als Erwachsener; Michael schickt Hanna Kassetten ins Gefängnis; Selbstmord Hannas*

Auch der dritte Erzählabschnitt schließt sich nahtlos an den vorangegangenen an. Stark gerafft werden die äußeren Lebensdaten Michaels nach dem Prozess weitergegeben. Den Sommer nach dem Prozess verbringt er weitestgehend im Lesesaal der Universitätsbibliothek. Obwohl er Kontakte vermeidet, wird er zu einer Skifahrt über Weihnachten von Mitstudenten eingeladen. Dort wird er schwer krank. Als Referendar heiratet er dann Gertrud, eine Kommilitonin, die er auf der Skihütte kennengelernt hatte und die bei ihm blieb, bis er aus dem Krankenhaus entlassen wurde. Die beiden haben eine Tochter, Julia. Trotz der anschei-

Michael heiratet Gertrud

nend erfolgreichen Lebensplanung kommt Michael nicht von seiner Vergangenheit los. Reflexionen der Auseinandersetzung mit der NS-Vergangenheit und die Einstellung der Studenten dazu, der Umgang mit Schuld und Scham, vor allem aber die Beziehung zu Hanna bestimmen seine Gedanken. Das ständige Vergleichen Gertruds und auch später anderer Frauen mit Hanna (S. 164 f.) führt zur Scheidung und zur Unfähigkeit, sich auf die Dauer zu binden. Die Konsequenz ist ein ständiges Gefühl der Unruhe und der Schuld der Tochter gegenüber, der sie „Geborgenheit verweigerten" (S. 165). Nach erfolgreicher Beendigung des Referendariats und des zweiten Examens flieht Michael schließlich in die „Nische" (S. 172) rechtshistorischer Forschungstätigkeit, da er sich außerstande sieht, die „groteske Vereinfachung" (S. 171) des Anklagens, Verteidigens und Richtens in einem Beruf umzusetzen. Er beginnt nach der Trennung von Gertrud wieder zu lesen, erst leise, dann laut und schließlich bespricht er Kassetten, die er Hanna ohne jedes persönliche Wort ins Gefängnis schickt. Er beginnt zu schreiben und auch diese Texte spricht er auf Band und schickt sie Hanna. Im vierten Jahr ihres „wortreichen, wortkargen Kontaktes" (S. 177) kommt der erste kurze Brief von Hanna, dem dann viele weitere folgen. Hanna hat, das registriert Michael mit Stolz und Freude, lesen und schreiben gelernt. Dennoch ist er nicht in der Lage, selbst zu schreiben oder eine andere Form des Kontaktes aufzunehmen. Nach siebzehn Jahren, ein Jahr vor Hannas Entlassung aus der Haft, bekommt Michael einen Brief von der Leiterin des Gefängnisses mit der Bitte, da er die einzige Kontaktperson zu Hanna sei, sich um sie nach der Haftentlassung zu kümmern. Michael sorgt für eine Wohnung, für Arbeit für Hanna und für Bildungsangebote kirchlicher und weltlicher Einrichtungen, den Besuch im Gefängnis schiebt er aber ein ganzes Jahr vor sich her. Als schließlich die Gefängnisleiterin eine Woche vor der Entlassung

Michael kommt nicht von der Vergangenheit los

Michael schickt Hanna Kassetten

Michael besucht Hanna und findet eine „alte Frau" vor

Hannas anruft, kann er sich nicht länger vor der Entscheidung drücken und fährt ins Gefängnis. Der Besuch ist für beide Seiten eine Enttäuschung. Michael nimmt nur noch die „alte Frau" (S. 186, 191) wahr („Ich nahm sie in die Arme, aber sie fühlte sich nicht richtig an." S. 188). In der folgenden Woche beschäftigt sich Michael in eigentümlich gespannter Gefühlslage mit Arbeit und Vorbereitungen. Noch einen Tag vor dem Abholen telefoniert er mit der Gefängnisleiterin und mit Hanna. Als er sie am nächsten Tag abholen will, wird er mit der Nachricht konfrontiert, dass Hanna Selbstmord begangen hat. Der Besuch ihrer Zelle, das Gespräch mit der Gefängnisleiterin und der Blick auf das Totengesicht Hannas führen zu einer aufschlussreichen und emotional sehr bewegenden Auseinandersetzung mit der Toten.

Hanna begeht Selbstmord

Michael hat testamentarisch den Auftrag bekommen, die Ersparnisse Hannas an die überlebende Tochter, die das Buch geschrieben hatte, weiterzuleiten. Diesen Auftrag erfüllt er viele Monate später im Zusammenhang mit einer Dienstreise in die USA. Das Gespräch mit der Tochter führt zu einer Auseinandersetzung mit Möglichkeiten des Umgangs mit Schuld und zu Fragen über seine Beziehung zu Hanna, die Michael erstmals deutlich beantwortet. Es endet damit, dass Michael im Auftrag der Tochter das Geld an eine jüdische Organisation zur Unterstützung von Analphabeten überweist und die Tochter in Erinnerung an ihre Zeit in Auschwitz die Teedose, in der das Bargeld verwahrt war, behält. Mit einem Zeitsprung von zehn Jahren schließt der Roman mit einer Reflexion des Ich-Erzählers über seine „Geschichte" (S. 205 f.) mit Hanna.

Besuch bei der Tochter in New York

## Chronologie der Ereignisse

### Hanna

| | |
|---|---|
| 21.10.1922 | Geburt Hannas |
| 1939/40 | Arbeit bei Siemens in Berlin |
| Herbst 1943 | Hanna geht zur SS, arbeitet in Auschwitz |
| bis Frühjahr 1944 | Aufseherin in Auschwitz |
| 1944/45 | Aufseherin in einem Lager bei Krakau |
| | Flucht der Aufseherinnen mit den Gefangenen nach Westen, Brand |
| seit 1945 | Wohnort in Kassel und an anderen Orten, Gelegenheitsjobs |
| 1950 | Tätigkeit als Straßenbahnschaffnerin in Michaels Stadt |
| Herbst 1958 | erste Begegnung mit Michael |
| Februar 1959 | Beginn der Beziehung zu Michael |
| April 1959 | Fahrradtour mit Michael |
| Sommer 1959 | Hanna verlässt ohne Erklärung die Stadt |
| Frühjahr 1966 | Beginn des Prozesses |
| Juni 1966 | Gericht fliegt nach Israel |
| Ende Juni 1966 | Verurteilung Hannas zu lebenslänglicher Freiheitsstrafe |
| 1974 | Sendung der ersten Kassetten von Michael ins Gefängnis |
| | Hanna lernt lesen und schreiben |
| 1978 | erster kurzer Brief Hannas an Michael |
| 1984 | Begnadigung Hannas |
| | Treffen mit Michael im Gefängnis |
| | Freitod am Tag vor der Haftentlassung |

## Michael

| | |
|---|---|
| Juli 1943 | Geburt Michaels |
| Herbst 1958 | Beginn der Gelbsucht, erste Begegnung mit Hanna |
| Februar 1959 | Besuch bei Hanna, Beginn des Verhältnisses mit ihr |
| April 1959 | Fahrradtour mit Hanna |
| | Versetzung in die 11. Klasse |
| Sommer 1959 | Ende der Beziehung zu Hanna |
| 1962 | Abschluss der Schule |
| | Beginn des Jurastudiums |
| Frühjahr 1966 | Teilnahme am Prozess als Jurastudent |
| | Wiederbegegnung mit Hanna als Angeklagter |
| | Entdeckung des Analphabetismus' Hannas |
| | Besuche beim Vater, beim Richter, des KZ Struthof im Elsass |
| Winter 1967/68 | Skiurlaub, Michael lernt Gertrud kennen, Krankheit Michaels |
| Sommer 1968 | Beginn des Referendariats |
| 1969 | Heirat mit Gertrud, Geburt der Tochter Julia |
| 1974 | Scheidung, wechselnde Verhältnisse mit anderen Frauen |
| | Beginn der Lesungen auf Kassette für Hanna |
| | eigene schriftstellerische Tätigkeit |
| 1983 | Brief der Gefängnisleiterin an Michael, Bitte um Besuch |
| 1984 | Besuch im Gefängnis, Treffen mit Hanna, nach deren Freitod Besuch ihrer Zelle, Gespräch mit der Gefängnisleiterin |

| | |
|---|---|
| Herbst 1984 | Dienstreise in die USA, Besuch einer der Überlebenden des Brandes in New York, Vollstreckung des Testamentes |
| | Besuch von Hannas Grab |
| 1994 | Beendigung des Buches über Hannas und seine „Geschichte“ |
| 1994/95 | Erzählergegenwart |

## 3.3 Aufbau

| Teil I | | Teil II | | Teil III |
|---|---|---|---|---|
| (Kapitel 1–17) | → | (Kapitel 1–17) | → | (Kapitel 1–12) |
| Michael als Jugendlicher | | Michael als Student | | Michael als Erwachsener |
| Liebesaffäre mit Hanna, ihr Verschwinden | | Prozess und Verurteilung Hannas | | Haft und Selbstmord Hannas |

Dreiteilung des Romans entspricht den Lebensabschnitten Michaels

Der Roman ist in **drei Teile** unterteilt, die jeweils einem besonderen Lebensabschnitt Michaels entsprechen. Jeder Teil ist schon durch den Neuanfang der Nummerierung der Kapitel als eigenständig und abgeschlossen gekennzeichnet (Teil I: Kapitel 1–17, Teil II: Kapitel 1–17, Teil II: Kapitel 1–12). Im Wesentlichen folgt das Erzählen der **Chronologie der Ereignisse**, ist aber **im Rückblick erzählt** und enthält immer wieder Vorausdeutungen (z. B. S. 68), Einschübe, Unterbrechungen (vgl. auch S. 134 f., S. 124, S. 84 u. a.). Die ersten Kapitel der Teile II und III erzählen gerafft die Ereignisse zwischen den Lebensabschnitten.

Struktur

Die einzelnen **Kapitel** sind **kurz** und **in sich abgeschlossen**, selbst wenn der Chronologie der Ereignisse folgend weitererzählt wird. Nahezu alle Kapitel fangen mit einem kurzen Satz an (Ausnahme z. B. I, 12. Kap. oder II, 7. Kap.). Die Abgeschlossenheit besteht in der Regel in einem thematischen Schwerpunkt, der gesetzt wird (z. B. Haus in der Bahnhofstraße I, 2; Schule und MitschülerInnen I, 13; Anklagepunkte II, 5; Buch der Tochter II, 8; Besuch bei der Tochter III, 11; Resümee III, 12). Außerdem lässt sich bei näherer Betrachtung häufig ein **Rahmen** erkennen (z. B. I, 12. Kap.

das Stichwort „Erinnerungen“ S. 58, das am Schluss des Kapitels inhaltlich wieder aufgenommen wird: „Auch das ist ein Bild, das mir von Hanna geblieben ist.“ S. 62 oder I, 1. Kap.: „Eines frühen Abends im Februar hörte ich eine Amsel singen.“ S. 5 – „So ging ich Ende Februar in die Bahnhofstraße.“ S. 7).

Die drei Teile werden einerseits durch ein **überleitendes erstes Kapitel**, andererseits durch **Rückblicke und Vorausdeutungen** sowie durch das **Leitmotivgeflecht** miteinander verknüpft.

⇨ S. 72

**DER AUFBAU DES ROMANS – IM RÜCKBLICK CHRONOLOGISCH ERZÄHLT**

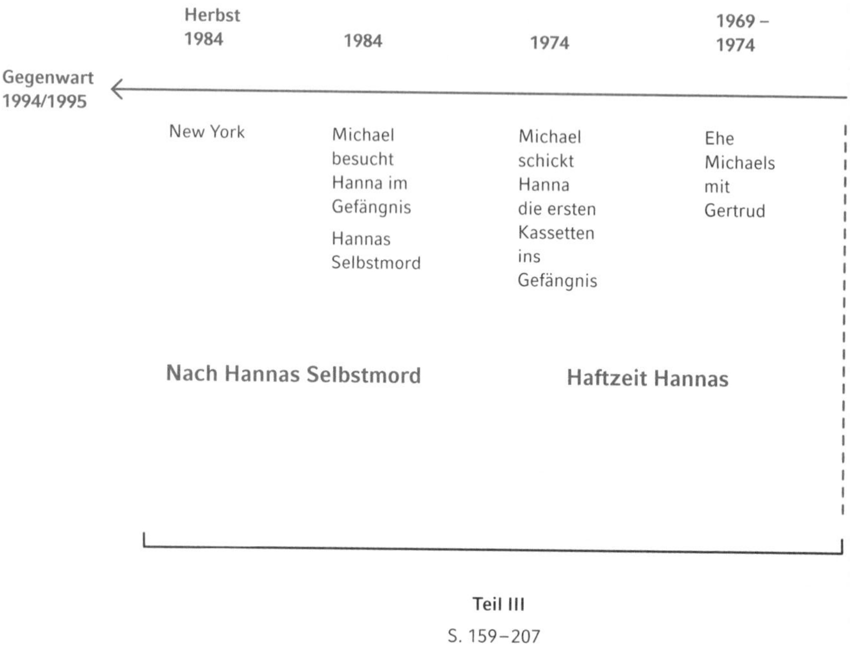

| Gegenwart 1994/1995 ← | Herbst 1984 | 1984 | 1974 | 1969 – 1974 |
| --- | --- | --- | --- | --- |
| | New York | Michael besucht Hanna im Gefängnis<br>Hannas Selbstmord | Michael schickt Hanna die ersten Kassetten ins Gefängnis | Ehe Michaels mit Gertrud |
| | **Nach Hannas Selbstmord** | | **Haftzeit Hannas** | |

**Teil III**

S. 159–207

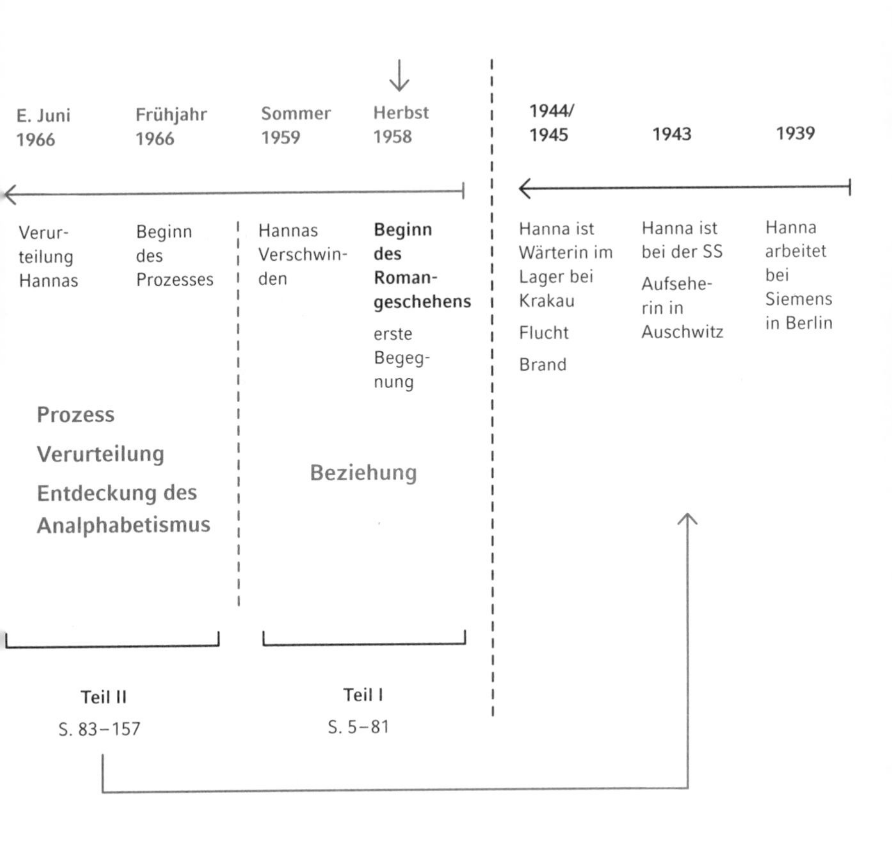
E. Juni 1966
Frühjahr 1966
Sommer 1959
Herbst 1958
1944/ 1945
1943
1939
Verurteilung Hannas
Beginn des Prozesses
Hannas Verschwinden
Beginn des Romangeschehens
erste Begegnung
Hanna ist Wärterin im Lager bei Krakau
Flucht
Brand
Hanna ist bei der SS
Aufseherin in Auschwitz
Hanna arbeitet bei Siemens in Berlin
Prozess
Verurteilung
Entdeckung des Analphabetismus
Beziehung
Teil II
S. 83–157
Teil I
S. 5–81

## 3.4 Personenkonstellation und Charakteristiken

| Michael | | Hanna |
|---|---|---|
| aus gutbürgerlicher Familie, drei Geschwister | **Familie** | keine Familienbindung |
| klug, belesen, akademische Laufbahn | **Bildung** | Analphabetin |
| unsicher, zunehmend selbstkritisch; bindungsunfähig | **Verhalten** | ambivalent (unsicher, bestimmt/herrisch/zärtlich etc.) |
| sexueller Partner, Vorleser; unterwirft sich Hanna, voller Schuldgefühle | **Beziehung** | Geliebte, Zuhörerin unberechenbar für Michael |
| Handlungen bestimmt durch Erfahrungen mit Hanna, sucht Distanz | **Handlungsmotivation** | Handlung bestimmt durch Furcht vor Entdeckung des Analphabetismus |

### Michael

Familienverhältnisse

Der Leser lernt Michael als Jugendlichen kennen. Er kommt aus einem gutbürgerlichen Elternhaus – der Vater ist Professor der Philosophie, die Mutter ist für den Haushalt und die Erziehung der Kinder zuständig. Michael hat einen älteren Bruder, mit dem er sich früher ständig geprügelt hat, dann verbale Gefechte liefert (S. 30). Der älteren Schwester hat er als Kind seine Geheimnisse anvertraut, die jüngere Schwester empfindet er als lästig und frech. Michael ist ein **überdurchschnittlich begabter Schüler**, da es ihm gelingt, innerhalb von wenigen Wochen den für die Versetzung nötigen Unterrichtsstoff durchzuarbeiten. Auch das Abitur und das sich anschließende Jura-Studium bewältigt er „mühelos" (S. 84). Examen und Referendariat scheinen ebenfalls keine Schwierigkeiten zu machen.

Guter Schüler

Pubertät Michaels

Michael zeigt **typische Merkmale eines pubertierenden Jugendlichen** zu Beginn des Romans. Er lernt dann, wenn es sein muss (S. 36) und befindet sich in der **Ablösungsphase von Elternhaus und Kindheit** (S. 41, 32). Er ist sich seiner Person und seines Körpers nicht sicher, schämt sich bei seiner Krankheit, „so schwach zu sein" (S. 6) und noch mehr, als er sich übergeben muss. Als Hanna ihm hilft und den Weinenden in den Arm nimmt, weiß er nicht, was er mit seinen Armen machen soll. Gleichwohl spürt er als erstes die Weiblichkeit Hannas. **Sexuelle Wünsche** und Lüste plagen ihn, der eine christlich moralische Erziehung genossen hat (S. 20), und verursachen **Konflikte**. Er gibt diesen Begierden dann nach und lässt sich von der wesentlich älteren und erfahrenen Frau verführen. **Unwissenheit, Unsicherheit und Angst** („vor dem Berühren, vor dem Küssen, davor, dass ich ihr nicht gefallen und nicht genügen würde", S. 27) sind neben der **Begierde und Neugier** bestimmende Merkmale seines Verhaltens.

Zunehmende Männlichkeit Michaels

Mit der sexuellen Erfahrung nimmt seine Sicherheit als Person und seinem Körper gegenüber zu (S. 41), allerdings schreibt er dies Hanna zu („Ich staune, wieviel Sicherheit Hanna mir gegeben hat." S. 41). Er reagiert nicht mehr „wie ein Kind" (S. 16), sondern **wirkt auf Mitschüler, Lehrer und andere Erwachsene interessant, souverän und erfolgreich** (S. 41, 70, 84). Gleichzeitig zeigt er in bestimmten Situationen ein völlig entgegengesetztes Verhalten. Hannas Wutausbrüchen begegnet er **ratlos und erschrocken**, weil diese nicht in sein bekanntes Verhaltensrepertoire passen. Wenn sie droht, sich ihm körperlich zu verweigern, ist er bereit, alle Schuld auf sich zu nehmen und sich zu erniedrigen. Man kann geradezu von einer **sexuellen Hörigkeit** sprechen, wenn er trotz innerlichem Groll (S. 71) sich entschuldigt, beteuert und beschwört (S. 50) und Hanna das Machtspiel gewinnen lässt.

Ambivalentes Verhalten des erwachsenen Michael

In Bezug auf Hanna behauptet der Erzähler, „keine Wahl“ (S. 50) gehabt zu haben. Gleichzeitig wird bis zum Ende des Romans eine **erhebliche Fähigkeit zur Selbstanalyse und Selbstkritik** erkennbar, die häufig in der Konstatierung der eigenen Schuld mündet (S. 80, 129 u. v. m.). Tatsächlich ist er auch später „empört und hilflos“ (S. 146), voller **Scham** und zur **Flucht vor Entscheidungen und Übernahme von Verantwortung** bereit. Er fühlt sich überhaupt nicht wohl, wenn ihm die Rolle eines Teilnehmers, Mitspielers und Mitentscheidenden (vgl. S. 131, 182 f.) aufgezwungen wird. In diesen Situationen versucht er durch Abwarten, halbherzige Anstrengungen, Verweigerung sich aus der Affäre zu ziehen. Michael verschafft sich ein bestimmtes Image, legt ein Gehabe an den Tag, das die eigentlichen Gefühle und Selbsteinschätzung verdecken soll. Er präsentiert sich lediglich als einer, den „nichts berührt, erschüttert, verwirrt“ (S. 84) und nur wenige Personen (Lehrer, Sophie) erkennen hinter der Arroganz und großspurigen Überlegenheit den verletzten und gedemütigten, unsicheren Menschen. Das „**Nebeneinander von Kaltschnäuzigkeit und Empfindsamkeit**“ (S. 85) ist Michael zwar selbst „suspekt“, er ist aber erst spät und nur graduell in der Lage (z. B. beim Besuch von Hannas Zelle, beim Besuch der Tochter in New York), dies abzustellen. Das mag als Konsequenz seiner Selbstkritik und der Verarbeitung seiner „Geschichte“ mit Hanna gesehen werden, was ihn letztlich jedenfalls in eingeschränktem Maße als in dieser Hinsicht lernfähig ausweist.

Michael selbst begründet die Ambivalenz zwischen Empfindlichkeit und Gefühlskälte mit dem unerklärlichen Verschwinden Hannas und der daraus resultierenden Verletzung des jungen Michael. Es scheint naheliegend, Hanna für die offensichtliche **Bindungsunfähigkeit** Michaels auch in späteren Jahren verantwortlich zu machen. Hierbei muss berücksichtigt werden, dass

Bindungsunfähigkeit Michaels

alles aus Michaels Sicht erzählt wird. Bei genauerem Lesen drängt sich der Gedanke auf, dass Michael grundsätzlich eine Disposition zum Verzicht auf enge Bindungen hat und dass ein grundlegender Charakterzug der **Wunsch nach Distanz zu anderen Menschen** ist. Zu seinen Geschwistern hat er keine intensive Beziehung, die Liebe und Fürsorge der Mutter meint er genauso abgelten zu müssen wie später die körperliche Hingabe einer Frau (S. 28 f.). Den Großvater, der ihm mit seinem Segen seine besondere Zuneigung zeigen möchte, stößt er vor den Kopf (S. 85). Weder zu seinen Klassenkameraden noch zu seinen Kommilitonen hat er ein intensives Verhältnis. Er liebt nur als Jugendlicher die „Leichtigkeit" des „Redens, Scherzens, Spielens und Flirtens" (S. 71) und dies insbesondere, als die Beziehung zu Hanna durch ihre Belastung und Launenhaftigkeit schwieriger wird. Die Möglichkeit, mit Sophie über Persönliches zu reden, nutzt er nicht. Auch als Student meidet er Kontakte und hat **nur wenige Bekannte** (S. 159). Wieder wird als Grund indirekt die Erfahrung mit Hanna angegeben. Dabei war er es, der die Beziehung mit Hanna, obwohl oder gerade weil sie in so vielen Aspekten anders war, begann.

Wenige persönliche Beziehungen, Distanz

Ob er nun durch Hannas Verhalten geprägt und verletzt oder ob im Verhältnis zu Hanna lediglich eine Neigung verstärkt wurde, die ohnehin bei Michael vorhanden war: Langfristig ist Michael ein Leben am liebsten, in dem er „niemanden brauchte und niemanden störte" (S. 172). Damit verhält er sich genauso, wie er es früher an seinem Vater bemängelt hat (S. 31). Als Michael in eine Konfliktsituation gerät, wie er mit seiner Erkenntnis von Hannas Analphabetismus umgehen soll, sucht er das Gespräch mit seinem Vater „gerade wegen der Distanz zwischen" (S. 134) ihm und sich. Seine Erklärung dafür offenbart eine bemerkenswerte **Parallele zwischen sich und dem ebenfalls klugen und selbstkritischen Vater**:

Parallelen zum Vater

> „Mein Vater war verschlossen, konnte weder uns Kindern seine Gefühle mitteilen noch etwas mit den Gefühlen anfangen, die wir ihm entgegenbrachten. Lange vermutete ich hinter dem unmitteilsamen Verhalten einen Reichtum ungehobener Schätze. Aber später fragte ich mich, ob da überhaupt etwas war. Vielleicht war er als Junge und junger Mann reich an Gefühlen gewesen und hatte sie, ihnen keinen Ausdruck gebend, über die Jahre verdorren und absterben lassen“ (S. 134).

Diese Beschreibung könnte ebenfalls auf Michael zutreffen. Auch er hat zumindest als Kind und Jugendlicher intensive Gefühle (Geheimnisse, die er der großen Schwester anvertraut, Fantasien und Träume, emotionale Aufgewühltheit in Bezug auf Hanna). Er lernt aber nicht, diese in einer Bindung an eine andere Person auszusprechen und zu kultivieren – und will dies vielleicht auch gar nicht. Im Laufe seines Lebens **entwickelt er eine Art des Umgangs mit Emotionen, die die Möglichkeit einer Erniedrigung oder Verletzung seines Selbstwertgefühls minimieren** („Alles fiel mir leicht, alles wog leicht.“ (S. 84), „Ich erinnere mich auch daran, dass ich angesichts kleiner Gesten liebevoller Zuwendung einen Kloß im Hals spürte, ob die Gesten mir galten oder jemand anderem.“ (S. 85)). Es kommt soweit, dass er bei dem Besuch im KZ für sich etwas verwundert beobachtet: „In mir fühlte ich eine große Leere, als hätte ich nach der Anschauung nicht da draußen, sondern in mir gesucht und feststellen müssen, dass in mir nichts zu finden ist“ (S. 150). Ein Grund dafür mag in der tiefen Unsicherheit, dem Gefühl der „Nichtswürdigkeit“ (S. 65), der **Angst vor Verlust der Anerkennung** durch andere und dem Zurückbleiben hinter dem eigenen Anspruch an sich selbst (vgl. S. 65) liegen. Diese Motive sind zwar in der Jugend stärker ausgeprägt und spürbar, liegen aber möglicherweise – von Strategien und Formen

Angst vor Verlust von Anerkennung

der Selbstdarstellung überdeckt – auch noch späteren Verhaltensweisen zu Grunde. Es ist in diesem Zusammenhang bemerkenswert, dass Michael eine Auseinandersetzung mit sich selbst, seiner Schuld und seinen Emotionen (vgl. S. 205) nicht im Gespräch mit einem anderen Menschen, sondern im Selbstgespräch, bzw. in Form eines Buches, vornimmt.

### Hanna

Äußeres

Hanna ist Mitte dreißig, als Michael sie kennenlernt. Sie wird von ihm als attraktive, kräftige Person (S. 68, 14, 15 u. a.) mit fließenden, anmutigen, verführerischen (S. 18) Bewegungen geschildert. Ihr Gesicht kann er nur als „schön" (S. 14) erinnern. Sie ist eine reife und erfahrene Frau.

Ambivalenz des Verhaltens

Dem Leser fällt im Zusammenhang mit Hanna die **Ambivalenz ihres Verhaltens** auf. Während sie auf der einen Seite **hilfsbereit und zärtlich** (S. 6, 33, 69) Michael gegenüber sein kann, ist sie auf der anderen Seite nicht nur ihm gegenüber **kalt, herrisch, sogar grausam, unbeherrscht und brutal** (S. 47, 50, 54, 115, 176, 202 u. a.). Sie ist ungewöhnlich **sauber und gepflegt** (eine Tatsache, die mit einer Kompensation ihrer Schuldgefühle in Verbindung gebracht werden kann) und gibt erst viel später, am Ende ihrer Haft, die disziplinierte Körperpflege auf. In vielen, sehr unterschiedlichen Situationen zeigt sie sich **bestimmt und entschlossen** (S. 6, 33, 36), in anderen wiederum **unsicher, verwirrt, ratlos** und **verletzt** (S. 185, 105, 76). Die Machtspiele, die sie mit Michael treibt, sind für diesen sehr erniedrigend und verletzend, gleichzeitig kommt es ihm so vor, „als leide sie selbst unter ihrem Erkalten und Erstarren. Als sehne sie sich nach der Wärme" von Michaels „Entschuldigungen, Beteuerungen und Beschwörungen" (S. 50).

Sie ist **beharrlich** (S. 105), **diszipliniert und scheut keine Arbeit** (S. 36). Außerdem ist sie mit Sicherheit keine dumme Frau.

Sie wird verschiedentlich zur Beförderung vorgeschlagen und soll Fortbildungskurse belegen. Auch ihr Interesse an und Verständnis von Literatur zeigt, dass sie eine **recht kluge** Frau ist. Unter diesen Voraussetzungen scheint es besonders unverständlich, dass sie Analphabetin ist (Der Text liefert keine Hinweise über mögliche Ursachen). Diese Schwäche muss aber als Ursache für verschiedene Lebensentwicklungen gesehen werden. Die Furcht, sich in einem Fortbildungskurs als Analphabetin zu outen, veranlasst sie zur Aufnahme der Arbeit als Aufseherin im KZ bzw. zur Flucht aus Michaels Heimatstadt. Der konstante Kampf um das Vertuschen ihrer Schwäche erschöpft sie (S. 70), macht sie empfindlich, verletzlich, müde (S. 76, 157) oder führt zu aggressiven Verhaltensweisen, die sie aber gleichzeitig zum Weinen bringen (S. 54 f.). Ihr **Analphabetismus** (später kommt dazu noch die schuldbeladene Vergangenheit) führt dazu, dass sie sich vereinzelt und keine engen Beziehungen und Bekanntschaften eingeht. Auch Michael hält sie gezielt auf **Distanz**. Da sie nie gelernt hat, über ihre Schwächen zu reden, hat sie das „Gefühl, dass [sie] ohnehin keiner versteht, dass keiner weiß, wer [sie ist] und was [sie] hierzu und dazu gebracht hat“ (S. 187). Sie leitet daraus ab, dass dann auch keiner Rechenschaft von ihr fordern kann. Als sie durch das Buch der Tochter als Täterin entlarvt und verurteilt wird – über die tatsächliche Schuld hinaus – setzt eine neue Form des Umgangs mit ihrer Schwäche ein. Sie tut „den Schritt aus der Unmündigkeit zur Mündigkeit“ (S. 178), einen „aufklärerischen Schritt“ (S. 178) und lernt lesen und schreiben. Dies macht sie stolz und froh, eine Emotion, die sie gern mit jemandem wie Michael geteilt hätte (S. 195), wenn sich dieser nicht verweigert hätte. Darüber hinaus **setzt sie sich selbstverantwortlich mit ihrem Teil an Schuld auseinander** und versucht nach ihren Kräften und Vorstellungen eine Wiedergutmachung.

Konsequenzen des Analphabetismus' Hannas

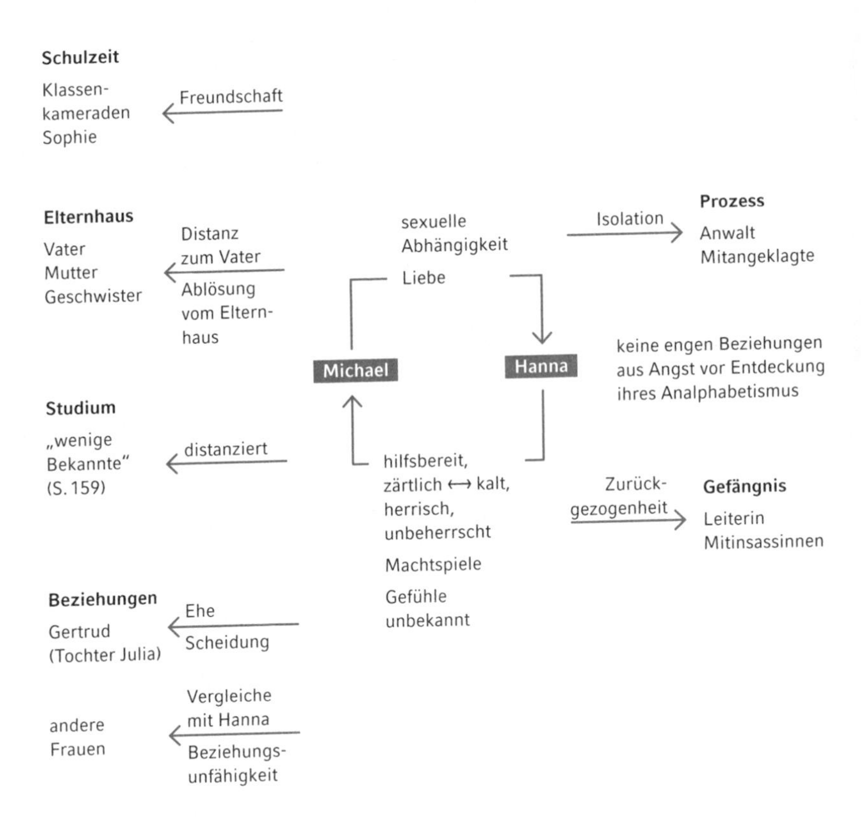
BEZIEHUNGSKONSTELLATIONEN
Schulzeit
Klassen-
kameraden
Sophie
Freundschaft
Elternhaus
Vater
Mutter
Geschwister
Distanz
zum Vater
Ablösung
vom Eltern-
haus
Studium
„wenige
Bekannte“
(S. 159)
distanziert
Beziehungen
Gertrud
(Tochter Julia)
Ehe
Scheidung
andere
Frauen
Vergleiche
mit Hanna
Beziehungs-
unfähigkeit
sexuelle
Abhängigkeit
Liebe
Michael
Hanna
hilfsbereit,
zärtlich ⟷ kalt,
herrisch,
unbeherrscht
Machtspiele
Gefühle
unbekannt
Isolation
Prozess
Anwalt
Mitangeklagte
keine engen Beziehungen
aus Angst vor Entdeckung
ihres Analphabetismus
Zurück-
gezogenheit
Gefängnis
Leiterin
Mitinsassinnen

### Das Verhältnis zwischen Michael und Hanna

Der Leser begleitet Michael durch mehrere Entwicklungsphasen seines Lebens: Sexuelle Initiation und Ablösung von den Eltern, Studienzeit, berufliche und familiäre Existenzgründung. Jede dieser Phasen ist mit Hanna verknüpft (sexuelle Bindung, Konfrontation mit der NS-Vergangenheit und der persönlichen Verstrickung darin, Unfähigkeit zur langfristigen familiären Bindung). Selbst nach ihrem Tod hat Michael ihre „Geschichte" nicht abgeschlossen.

Vielfach ist die ungleiche Beziehung kommentiert und diskutiert worden. Leser der verschiedensten Gruppierungen fragen (im Internet, in Schulen, bei Diskussionen etc.) nach den Gründen für die ungewöhnliche Bindung.

Gemischte Charaktere

Eine Untersuchung der Verhaltensweisen und Eigenschaften der beiden zeigt, dass beide **„gemischte Charaktere"** sind, d. h. nicht einseitig gut oder schlecht. Bei beiden ist das **Fehlverhalten jeweils begründet**: bei Hanna ist es die Angst vor der Aufdeckung ihrer dunklen Vergangenheit und ihres Analphabetismus, bei Michael ist es die Sehnsucht nach Hanna, die Angst, sie zu verlieren, und später die Furcht vor Verletzung. Hierbei ist jedoch zu berücksichtigen, dass Michael als Erzähler auch die Facetten des eigenen und des Charakters von Hanna vermittelt und dabei zu Beschönigungen und Entschuldigungen neigt. Die Darstellung anderer Personen (Tochter: „Was ist diese Frau brutal gewesen." S. 202) macht einen Blick auf eine andere mögliche Charakterisierung Hannas frei. Im gesamten Text zeigt sich die **ausgeprägte Neigung Michaels, sich schuldig zu fühlen**.

Rituale und Rollen

Das Verhältnis der beiden zueinander ist durch **sich ergänzende Rollen** geprägt. Diese wechseln allerdings im Laufe der Zeit. Sie räumen sich gegenseitig nur einen begrenzten Platz in ihrem Leben ein und steuern ihre Beziehung durch Rituale: „Vorlesen, duschen, lieben und noch ein bisschen beieinanderliegen" (S. 43).

Folgende Komponenten bestimmen ihre Bindung:

1. die Liebe zur Literatur und die Kompensation von Hannas Analphabetismus durch Michael
2. die reinigenden Bäder werden zum Zeichen für den Versuch, sich reinzuwaschen, Schuld (alte und neue) abzuladen
3. die intensive sexuelle Bindung aneinander, wobei besonders Michaels Abhängigkeit betont wird
4. den Schutz und die menschliche Wärme, die sie sich gegenseitig geben.

Auf die Frage der Tochter, wie ihre Beziehung zueinander gewesen ist, nimmt Michael die Aspekte 1, 3, 4 wieder auf. Die Bitte um Anerkennung bzw. Absolution (S. 201) schließt den zweiten Punkt (Schuld) aber auch ein. Bis zum Schluss des Romans ist für Michael dennoch nicht vollständig geklärt, was er für Hanna bedeutet hat und ebenso, was sie für ihn war. Das liegt an der Gleichzeitigkeit von Distanz und Nähe, durch die das Verhältnis zueinander geprägt ist. Die erste Umarmung der beiden wird bezeichnenderweise folgendermaßen beschrieben: „Ich sah nicht viel von ihr. Wir standen zu dicht. Aber ich war überwältigt von der Gegenwart ihres nackten Körpers“ (S. 27).

Gleichzeitigkeit von Nähe und Distanz

Die hier deutlich werdende Unmöglichkeit, aufgrund der Nähe zueinander sich nicht erkennen zu können (bei einer gleichzeitig vorhandenen sexuellen Anziehung), eine Nähe, die Distanz/Andersartigkeit bedingt oder sichtbar macht, ist für viele Beziehungen in Schlinks Texten typisch. Die **Helden seiner Geschichten sind ausschließlich männlich**. Sehr häufig haben diese Männer Sehnsucht nach einer Frau, die allerdings nicht erfüllt werden kann. Es handelt sich dabei um **Bilder** (*Mädchen mit der Eidechse*) oder **„Traum“frauen** (*Die Frau an der Tankstelle*), die real existierenden vorgezogen werden. Gelegentlich hofft ein Protagonist

Vergleich mit anderen Texten Schlinks

(*Zuckererbsen*) in drei Frauen gleichzeitig das zu finden, was er sucht und entzieht sich schließlich allen dreien. Das **Fremde und Andersartige** bei der Frau (*Die Beschneidung*) erweist sich erst bei intensiver Nähe als unüberbrückbar. Häufig entdeckt der Mann, dass er Entscheidendes über die Frau, mit der er sehr eng zusammen ist, nicht kennt. Irgendein Anlass zeigt ihm, dass sie eine ganz andere ist, als er bislang gedacht hatte (*Vorleser, Gordische Schleife, Der Andere, Der Seitensprung, Zuckererbsen, Die Heimkehr*). Er sammelt „Gedächtnisbilder" von der betreffenden Frau (wie auch Michael von Hanna S. 61, 62, 68, 78), aber diese Bilder wollen sich nicht zu einem kompletten Gesamtbild zusammenfügen. Wesentliche Merkmale des anderen Menschen bleiben verborgen („... mir ihr Gesicht zugewandt, das ich nicht lesen kann", S. 78).

Intensive Nähe und gleichzeitige Fremdheit

Dass dies nicht ein fatales Schicksal ist, das hingenommen werden muss, sondern z. T. sogar beabsichtigt ist, wird sehr wohl erkannt. Michael hält Hanna durch den normalen und vertrauten „Austausch von Grüßen und Kassetten ... auf so freie Weise sowohl nah als auch fern" (S. 181) und weiß genau, dass dies „bequem und egoistisch" ist. Er räumt ihr nur eine kleine Nische in seinem Leben ein und begründet die Verzögerung des Besuches im Gefängnis ausdrücklich (S. 183) mit dieser gleichzeitigen Distanz und Nähe. An keiner Stelle wird dem Leser deutlich vermittelt, in welcher Hinsicht sie ihm nah und in welcher Beziehung sie ihm fremd ist und auch auf Distanz gehalten werden soll. Hier lassen sich verschiedene Vermutungen anstellen. Sicher ist aber, dass Hanna mit dem jungen Michael genauso verfahren ist. Wer oder welcher Umstand auch immer die Grenzen festlegte: Intensive Nähe bei gleichzeitiger Unkenntnis des anderen und streng gewahrtem Abstand in vielerlei Hinsicht bestimmte immer ihr Verhältnis zueinander. Es ist deutlich, dass die Rollenerwartungen an den Partner jeweils dessen Reaktionen und Verhaltensweisen bestimmen.

## 3.5 Sachliche und sprachliche Erläuterungen

| | | |
|---|---|---|
| S. 8 | **Heimatstadt** | gemeint ist die Universitätsstadt Heidelberg (Baden-Württemberg), in der auch Schlink selbst Kindheit und Jugend verbrachte, bzw. Jura studierte. |
| S. 40 | **zu den Soldaten geraten** | Umschreibung der Tatsache, dass Hanna SS-Mitglied und KZ-Aufseherin geworden ist. |
| S. 63 | **Unter-, Obersekunda** | früher: Klassen 10 und 11 auf dem Gymnasium (von Klasse 5 [Sexta] bis Klasse 13 [Oberprima]) |
| S. 66 | **Nausikaa** | Gestalt aus Homers Odyssee (5. Gesang). Nausikaa ist die Tochter des Phäakenkönigs Alkinoos. Sie findet Odysseus nach einem Sturm am Strand und reicht ihm Öle, Salben und reinigende Bäder. |
| S. 86 | **KZ-Prozeß** | gemeint sind die Nachkriegsprozesse zur Bestrafung der Verantwortlichen im NS-Staat (z. B. Eichmann-Prozess 1961; Auschwitz-Prozess in Frankfurt a. M. 1963–65, Majdanek-Prozess in Düsseldorf 1975–81) |
| S. 86 | **KZ-Schergen** | Handlanger, Vollstrecker von Befehlen im NS-Staat |
| S. 88 | **Spinoza** | Baruch de Spinoza (1632–77), niederländischer Freidenker und Humanist; aus portugiesischer jüdischer Familie; Vorbereiter der Aufklärung; aus antisemitischen Gründen während der NS-Zeit nicht akzeptiert |
| S. 88 | **Lektor** | Mitarbeiter eines Verlages, der Manuskripte liest, prüft und bearbeitet |

➪ Vgl. S. 113

| | | |
|---|---|---|
| S. 92 | **Lager bei Krakau** | Hier ist historische Ungenauigkeit zu verzeichnen. Historisch ist kein Außenlager von Auschwitz in unmittelbarer Nähe zu Krakau bekannt. Es wird vermutet, dass die Angabe im Roman sich eher auf ein Nebenlager zum KZ Krakau Plaszów bezieht. Das einzige Nebenlager mit weiblichen Gefangenen wurde im März 1943 aufgelöst, die Spuren verwischt. Die Deportation nahezu aller Häftlinge zur Hinrichtung in Auschwitz, Stutthof, Ravensbrück und Mauthausen erfolgte bis Mai 1944. |
| S. 92 | **mit den Gefangenen nach Westen aufgebrochen** (vgl. auch: „Todesmarsch", S. 116) | Mit der Winteroffensive der Roten Armee 1944/45 wurden Tausende von KZ-Häftlingen in endlosen Kolonnen zum Marsch nach Westen gezwungen. Die meisten starben aufgrund extremer Witterungsverhältnisse, fehlender Verpflegung und Unterkunft sowie durch Tötung durch die Wachmannschaften.[15] |
| S. 102 | **Selektion** | Auswahl; gemeint ist hier die Auswahl der Juden in den KZs, die als arbeitsunfähig galten; diese wurden sofort getötet. |
| S. 103 | **Bombennacht, mit der alles zu Ende ging** | Tatsächlich hat es Fälle gegeben, in denen vermeintliche Partisanen, KZ-Häftlinge auf den Todesmärschen und Frauen und Kinder in Scheunen und Kirchen eingeschlossen und lebendig verbrannt worden sind. |
| S. 115 | **die Stute** | Obwohl Schlink ausdrücklich betont, dass es für die Figur Hanna kein eindeutiges Vorbild gegeben habe, muss in diesem Zusammenhang an die KZ-Aufseherin Hermine Braunsteiner erinnert werden, die im KZ Lublin-Majdanek von den Häftlingen den Namen ‚Stute' erhielt. Sie wanderte nach Amerika aus, heiratete dort einen Amerikaner, wurde aber später entdeckt und zu lebenslanger Haft verurteilt. |

➪ Vgl. S. 113

15 Daniel Blatman: *Die Todesmärsche 1944/45. Das letzte Kapitel des nationalsozialistischen Massenmords.* Reinbeck bei Hamburg: Rowohlt Verlag 2011

| | | |
|---|---|---|
| S. 142 | **Fernsehserie „Holocaust"** | Die mehrteilige amerikanische Fernsehserie, die exemplarisch die Geschichte einer jüdischen Familie und deren Verfolgung und Vernichtung zeigte, wurde 1979 in Deutschland ausgestrahlt. Sie erzeugte intensive Reaktionen und begründete die Bezeichnung Holocaust (statt Shoa) für die Vernichtung der Juden in der NS-Zeit in Deutschland. |
| S. 144, 148 ff. | **Struthof** | Die Gedenkstätte des Konzentrationslager Natzweiler-Struthof (1941–44) wurde 1960 eingeweiht. Die Häftlinge mussten im Steinbruch und in der Rüstungsproduktion arbeiten. |
| S. 173 | **Schimäre** | (griechisch) Hirngespinst, Trugbild |
| S. 202 | **kyrillische Schriftzeichen** | Slawische Schrift (russisch, serbisch, bulgarisch u. a.) |

# 3.6 Stil und Sprache

ZUSAMMENFASSUNG

Die Sprache des Romans ist gekennzeichnet durch ihre **Klarheit und Knappheit**. Selbst Andeutungen erzielen eine hohe Wirkung durch ihre Präzision. Sprachstil und Wortwahl sind in den drei Teilen **jeweils dem Alter und Bildungsstand des Protagonisten angepasst**. Dies wirkt authentisch und lädt zur Identifikation ein.
Dennoch finden sich **Passagen von großer emotionaler Wirkung** (z.B. S.117f., 127ff.) oder sehr **poetisch ausgefeilte Textteile**, z.B. die Beschreibung der Fieberfantasien des Jugendlichen (S.19f.). Hier wird mit **Kontrasten, Alliterationen, Metaphern, Parallelismen** gearbeitet und ein kunstvolles Sprachgebäude errichtet. Die Textverknüpfung erfolgt durch ein dichtes Netz von **Leitmotiven** (Odyssee, Fahrten und Fluchten, Orte und Räume, Körperlichkeit, Augen u.a.).
Schlink selbst kritisiert ausdrücklich[16] die „fatale deutsche Tradition" der Unterscheidung zwischen sogenannter E- und U-Kultur (d.h. ernsthafter und unterhaltender Literatur). Es gelingt ihm, mit seinem Text zum Weiterlesen zu reizen, zu unterhalten und außerdem Genuss an der Sprach- und Textgestaltung zu ermöglichen.

Wichtigste Merkmale der Sprachgestaltung:
Teil I: Parataxen, viele Fragesätze
Teil II: Konjunktiv I, komplexere Syntax, jur. Fachbegriffe
Teil III: Hypotaxen, Aufzählungen

---

16 Vgl. Interview mit Tilman Krause in Die Welt, 14.10.1999

## Erzählweise

### Teil I

Teil I beschreibt das Liebesverhältnis des 15- bzw. 16-jährigen Schülers Michael zu Hanna. Die erzählte Zeit umfasst vor allem den **Zeitraum eines dreiviertel Jahres** (Herbst 1958 – Sommer des folgenden Jahres). Wie auch in den folgenden beiden Teilen wird die **Ich-Erzählweise** gewählt und konsequent umgesetzt. So werden dem Leser, **zeitdeckend erzählt**, einzelne Szenerien, Umgebungen, Geräusche und Gerüche, aber auch Episoden vermittelt. Der Leser tritt mit der Erinnerung des Erzählers in die Gegenwart des Jugendlichen.

| SPRACHLICHES MITTEL, STIL | ERKLÄRUNG | TEXTBELEG |
|---|---|---|
| **Kurze Sätze, auffallend häufige Satzanfänge mit Personalpronomen „sie" oder „ich"** | Subjektive Sichtweise des Jungen, Vermittlung seiner Sehnsüchte, Empfindungen, seines Wissens | „Sie spürte meinen Blick." „Ich wurde rot." „Ich ärgerte mich." (S. 16) auch S. 15 f., S. 23 f., S. 25 ff. |
| **verschiedene Bezeichnungen für Hanna** | Perspektive entspricht Kenntnisstand des Erzählers | „die Frau, die sich meiner annahm" (S. 6) „schickte mich zu Frau Schmitz im dritten Stock" (S. 12) „ich sollte anfangen, sie Hanna zu nennen" (S. 39 f.) |
| **Gebrauch des Konjunktivs** | Naivität Michaels, durch Doppeldeutigkeit gleichzeitig spannungsfördernd | „Sie ließ ihren Blick über die Bücherregale wandern (...) als lese sie einen Text." (S. 60) |

| SPRACHLICHES MITTEL, STIL | ERKLÄRUNG | TEXTBELEG |
|---|---|---|
| **Vielzahl von Fragesätzen** | 1. Unerfahrenheit, Unsicherheit des jungen Michaels, Suche | „Aber war ich ihr Geliebter? Was war ich für sie?" (S. 37) |
| | 2. Unsicherheiten des rückblickenden Erwachsenen bezüglich Erinnerungsvermögen oder nicht abgeschlossene Aufarbeitung | „Ich weiß nicht mehr, was ich meinen Eltern damals gesagt habe. Dass ich die Fahrt mit meinem Freund Matthias mache?" (S. 51) „Warum macht es mich so traurig, wenn ich an damals denke?" (S. 38) |
| | 3. Gegenfragen Hannas als Ausweichmanöver | „Fängst du schon wieder an?" (S. 50), auch S. 75 |
| **Kontrastierung** | Betonung der zeitlichen Distanz zu dem Geschehen, Vergleich Vergangenheit und Gegenwart | Beschreibung des Hauses in der Bahnhofstraße, S. 8 |
| **Rückblicke und Vorausdeutungen** | Herstellung des Bezuges zum Protagonisten | „Schon als kleiner Junge hatte ich das Haus wahrgenommen. … Immer wieder habe ich in späteren Jahren …" (S. 9) |
| **Leitmotiv Bild** | Erinnerungen in Form von Bildern wie Fotografien bzw. Verlust der Erinnerung | „Auch das ist ein Bild, das mir von Hanna geblieben ist." (S. 62), auch S. 61, 78, 14 |
| **Erklärungen, Kommentare, Sentenzen** | Beurteilung der Vergangenheit durch den inzwischen gealterten Michael | „Man schätzt das Alter schwer, das man noch nicht hinter sich hat oder auf sich zukommen sieht." (S. 17), auch S. 18 f., 21, 72 u. a. |

**Teil II**

Auch der zweite Teil wird konsequent ich-erzählt. Jetzt ist es allerdings der Student Michael Berg, der insbesondere die Monate des Prozesses beschreibt. Der erzählte Zeitraum umfasst insgesamt die Zeit vom Sommer 1959 bis zum Ende des Prozesses im Juni 1966.

| SPRACHLICHES MITTEL, STIL | ERKLÄRUNG | TEXTBELEG |
|---|---|---|
| **Wiedergabe der Verhöre in indirekter oder direkter Rede, häufig zeitdeckendes Erzählen, Zusammenfassungen** | Verdeutlichung der Betroffenheit Michaels, Veranschaulichung der Situation für den Leser, Vergegenwärtigung | „Ja, sie wolle stehen" (S. 91), auch S. 104, 120 „Haben Sie nicht gewusst, dass Sie die Gefangenen in den Tod schicken?" (S. 106), auch S. 91, 111, 121 u. a. |
| **Kommentare Michaels** | Veranschaulichung der Gefühle Michaels | „Sie saß wie angefroren. So sitzen musste weh tun" (S. 96), auch S. 107 |
| **Juristisches Wissen, Fachbegriffe** | Verdeutlichung des Fachwissens Michaels (Jurastudent) | z. B. „Vorwurf der Rechtsbeugung", „Mandantin", Recht zum Widerspruch" (S. 105) |
| **Innerer Monolog** | Anspannung Michaels | „Frag sie, dachte ich. Frag sie, ob ... Sag's Hanna. Sag, dass du ..." (S. 113) |
| **Aufzählungen, Correctio** | packende, spannungsgeladene Schilderung der Ereignisse als Kontrast zur behaupteten Fühllosigkeit | „Sie begriffen es und schrien auf, schrien in Entsetzen, schrien um Hilfe, stürzten zu den Türen, rüttelten daran, schlugen dagegen, schrien." (S. 118) |

| SPRACHLICHES MITTEL, STIL | ERKLÄRUNG | TEXTBELEG |
|---|---|---|
| **Wiederholung z. T. ganzer Sätze, Wörter und Wortgruppen, häufig in Dreier-Gruppen** | Verstärkung, Beteuerung, inhaltliche Betonung, häufig Einzelaspekt eines Sachverhalts hervorgehoben | „Ich fühlte nichts." (S. 96) „Entsetzen, Scham und Schuld" (S. 100), auch S. 64, 90, 108, 123, 125, 155 |
| **Anaphern** | Erklärungen und Bestätigungen, Charakter eines Plädoyers | „deswegen", „weil", „nein" S. 126–128, 117 f., 120, abgewandelt auch S. 112 |
| **Parallelismus, Klimax** | Verdeutlichung | „Wir sollen nicht meinen, begreifen zu können, was unbegreiflich ist, dürfen nicht vergleichen, was unvergleichlich ist, dürfen nicht nachfragen, weil der Nachfragende …" (S. 99) |
| **Kurze Sätze und Fragen, prinzipiell aber komplexere Syntax als im ersten Teil** | Große Wirkung der kurzen Sätze, unvermittelt gemachte Aussagen, häufig am Kapitelanfang, vollziehen schlagartige Erkenntnis Michaels nach | „Ich sah Hanna im Gerichtssaal wieder." (S. 86) „Hanna konnte nicht lesen und schreiben." (S. 126) |
| **Fragen** | Fragen des Richters | S. 106, 119 f. |
| | Fragen Michaels an sich selbst | S. 125, 127 f. |
| **Fragen** | (Hypothesen, Alternativen, Leser wird einbezogen) Unbeantwortete Fragen (Rest von Unklarheit und Unsicherheit) | S. 127, 132 f. |

**Teil III**

Der letzte Teil des Romans umfasst den Zeitraum zwischen dem Ende des Prozesses 1966 und dem Besuch in New York im Herbst 1984. Mit einem Zeitsprung von zehn Jahren schließt sich das letzte Kapitel an. Dieser dritte Romanteil enthält vorwiegend besonders ausgewählte und zeitdeckend wiedergegebene Episoden (meist Gespräche, Begegnungen, Briefe etc.), die durch gerafft erzählte Zwischenteile verknüpft sind.

| SPRACHLICHES MITTEL, STIL | ERKLÄRUNG | TEXTBELEG |
|---|---|---|
| **Vielzahl grundsätzlicher Überlegungen und Erinnerungen, dem Wissen und Alter des Protagonisten entsprechend erheblich differenzierter als am Anfang** | Aussagen enthalten Argumente, Begründungen, Auseinandersetzung mit verschiedenen Themen und der eigenen Geschichte (Reflexion und Selbstkritik) | S. 160 ff. (NS-Vergangenheit)<br>S. 172 f. (Rechtsgeschichte)<br>S. 175 (Vorlesen)<br>S. 176 (Auswahl der Texte)<br>S. 185 f. (Hannas Geruch)<br>außerdem: S. 160, 162, 165, 183, 190, 205 ff. |
| **Hinweise auf Dokumente** | Stützen der Erinnerung, Erkenntnisgewinn | „Ich habe unlängst das Heft gefunden, …" (S. 175) |
| **Parataxen und Hypotaxen** | Reflektion | „Die Schichten unseres Lebens … lebendig. Ich verstehe das." (S. 206) |

## Das Leitmotivgeflecht

Vielzahl wiederkehrender Begriffe und Ausdrücke

„Schlink hat darauf verzichtet, aus seinen zart angespielten Leitmotiven eine schlüssige Symphonie zu machen", kommentiert Christoph Stölz in der Laudatio auf Bernhard Schlink anlässlich der Preisverleihung der Zeitung „Die Welt" (Die Welt, 13. 11. 1999) dessen Umgang mit dieser Möglichkeit der Textverknüpfung und Bedeutungserweiterung. Tatsächlich fallen dem Leser sofort oder zumindest auf den zweiten Blick eine Fülle von wiederkehrenden Begriffen oder Ausdrücken auf. Allerdings fällt es auch bei genauerer Untersuchung schwer, eindeutige Verknüpfungen und Bedeutungszuordnungen vorzunehmen. Was als „zart angespielt" positiv beurteilt wird, ließe sich auch als „nicht konsequent ausgeführt" beschreiben. Eine Fülle von Leitmotiven und Figuren tauchen immer wieder in Schlinks Texten auf. Dies gilt insbesondere für die Odyssee und das Heimkehrmotiv, das häufig mit dem Motiv des Hauses verknüpft ist.

### 1. *Die Odyssee*

*Die Odyssee* von Homer spielt eine besondere Rolle. Michael lernt den Text in der Schule kennen und lieben. Er ist außerordentlich vertraut mit dem von ihm ausdrücklich geliebten Text, denn er liest ihn auf Griechisch und auf Deutsch (S. 66) und findet sich ohne Schwierigkeiten in dem Text zurecht. Einzelne Figuren aus dem Epos (Nausikaa) werden von ihm in seiner Fantasie **mit Bildern von Hanna oder Sophie verknüpft**. Hanna liest er als Schüler einige Passagen aus der griechischen Version vor, da sie hören möchte, wie diese Sprache klingt (vgl. S. 42). Nach seinem Referendariat liest Michael *Die Odyssee* erneut. Diese Lektüre fällt in die Zeit seiner Trennung von Gertrud, wenn seine Gedanken in schlaflosen Nächten auf quälenden **zirkulären Bahnen** um Ehe, Tochter und Hanna kreisen (S. 174). Da er gedanklich immer wieder zu Hanna zurückkommt, liest er laut für sie und beginnt mit der Besprechung dieser Kassette den Zyklus aller weiteren vorgelesenen Texte. Zu diesem Zeitpunkt versteht er *Die Odyssee* nach eigenen Angaben – wie in seiner Schulzeit – als „**Geschichte einer Heimkehr**" (S. 173)[17]. Hier drückt sich **Michaels Sehnsucht nach einem Zuhause**, nach der Möglichkeit eines Endes von Irrfahrten und Abwegen aus.

*Die Odyssee* als Geschichte einer Heimkehr

Das Eingeständnis, dass seine Ehe ein Irrweg war, fällt zusammen mit einer Folge von „**Fluchten**" beruflicher Art. Es ist die Flucht vor der „Herausforderung und Verantwortung des Lebens" (S. 171), weil er sich nicht entscheiden kann, eine der seiner Meinung nach grotesk vereinfachten Rollen als Jurist zu übernehmen. Zwar betont er, dass auch Fluchten mit Ankunft verbunden sind. Seine Beschäftigung mit Rechtsgeschichte hatte ihm beispielsweise ermöglicht, Brücken zwischen Vergangenheit und Gegenwart zu schlagen. Dennoch erweist sich langfristig der Glaube an eine Welt, die in einer guten „Ordnung angelegt ist" und deshalb durch Gesetze und Paragraphen „auch in eine gute Ordnung gebracht werden kann" und in der eine „Entwicklung zu mehr Schönheit, Wahrheit, Rationalität und Humanität" (S. 173) möglich ist, als falsch. So setzt er bei der erneuten Lektüre der *Odyssee* einen neuen Akzent und betont, dass Odysseus nicht zurückkehrt „um zu bleiben, sondern um erneut aufzubrechen" (S. 173). Am Ende zieht er einen Vergleich zwischen Rechtsgeschichte und der *Odyssee* und versteht schließlich beide als die „**Geschichte einer Bewegung, zugleich zielgerichtet und ziellos, erfolgreich und vergeblich**" (S. 173).

*Die Odyssee* als Geschichte des Aufbruchs

---

17 In *Die Heimkehr* werden sowohl Heimkehrergeschichten als auch die Odyssee struktur- und (für die Protagonisten) handlungsbestimmend.

Diese Auffassung entspricht in ihrem Nebeneinander von Gegensätzen den Fahrten, Fluchten, Wegen und Reisen, die Michael im Laufe seines Lebens unternimmt und die durch die Art der Beschreibung und Wortwahl leitmotivisch der *Odyssee* zugeordnet werden können. Sie ist wiederum mit anderen Leitmotiven (Bahnfahrten, Haus, Zuhause sein, Traum, Bild etc.) verknüpft. Auf diese Weise wird Michael selbst zum Herumreisenden, Suchenden, Heimkommenden und wieder Aufbrechenden. Womit alles anfängt und was bleibt, ist die „**Sehnsucht danach, nach Hause zu kommen**" (S. 200).

**Reisen, Fahrten und Fluchten**

Das Haus in der Bahnhofstraße

a) Das erste Kapitel des Romans beginnt mit dem Gang von der **Bahnhofstraße** (ein Name, der auch mit Reise/Stationen/Ankunft und Weggehen zu tun hat) in die Blumenstraße und zurück. Das **Haus in der Bahnhofstraße** ist Zentrum späterer **Träume,** in denen Michael unverhofft dieses Haus während einer **Reise** in fremder Umgebung sieht, sich zielgerichtet dem Haus nähert, um sich dann aber in einer toten Welt mit einem blinden Haus (s. Leitmotiv des Blickens, S. 83) wiederzufinden. Nie kann er das Haus betreten, nie begegnet er einem Lebewesen; er wacht immer vorher auf (vgl. I, Kap. 2). Auch der letzte Traum von Hanna, kurz vor dem Gespräch mit der überlebenden Tochter, endet vor dem Haus. Michael wacht voll schmerzlicher Sehnsucht auf und erkennt, dass sich seine **Sehnsucht, „nach Hause zu kommen"** nur an Hanna „festmachte, ohne ihr zu gelten" (S. 200).

Die Straßenbahnfahrt in den Osterferien

b) Wie ein „böser Traum" kommt dem jugendlichen Michael auch die **Straßenbahnfahrt** während der Osterferien vor, die zum heftigen Streit zwischen Hanna und ihm führt. Im leeren Waggon sitzend fühlt er sich „ausgeschlossen, **ausgestoßen aus der**

**normalen Welt**, in der Menschen wohnen, arbeiten und lieben" und wie „**verdammt zu einer ziel- und endlosen Fahrt**" (S. 46). Hier klingt das Motiv des Umherirrens Odysseus' deutlich an. Gleichzeitig wird der Paradigmenwechsel vom heimkehrenden zum immer wieder aufbrechenden Odysseus hier vorweggenommen.

c) Nach dem ergebnislosen Gespräch mit dem Richter muss Michael den Zug nehmen. Auch hier wirkt er unter all den Mitreisenden isoliert, alles gleitet an ihm, der unter einer Art Betäubung leidet, ab (vgl. S. 155).

Weitere Zug- und Bahnfahrten

d) An die erste Fahrt im Straßenbahnzug erinnert er sich wieder, als er nach der Verurteilung Hannas an der Beerdigung des Professors vom KZ-Seminar teilnimmt. Diesmal ist die **Bahn schaffnerlos** (S. 168) und Michael macht diese Fahrt wie „eine Begegnung mit der Vergangenheit, wie die **Rückkehr an einen Ort**, der einem vertraut war und der sein Gesicht verändert hat" (S. 167)[18]. Im Nachhinein scheint es ihm „töricht", dass er nicht noch einmal eine Fahrt gemacht hat, bei der Hanna als Schaffnerin der Mittelpunkt des Lebens und Treibens der Menschen in der Bahn war. Dies hätte einen Einblick in ihren Alltag, die normale Welt bedeutet. Auf dem Rückweg springt er auf das Trittbrett der schon fahrenden Bahn und sie nimmt ihn – entgegen seiner Erwartung – auf.

e) Erst auf der letzten Bahnfahrt des Romans, der **Fahrt nach New York**, kommt Michael zu dem oben dargestellten wichtigen Ergebnis. Er erwacht aus dem Traum und stellt sich der Realität. Hier erfolgt ein Stück **Loslösung** von Hanna, Überwindung von Vergangenem.

---

18 Vgl. hierzu die Beschreibung im Traum (I, 2. Kap., S. 10)

Andere Fahrten

f) Weitere Fahrten, die Michael unternimmt, sind die gemeinsame **Fahrradtour mit Hanna** und der zweimalige **Besuch des Konzentrationslagers Struthof** (II, Kap. 14, 15). Diese Fahrten dienen, so unterschiedlich sie sind, dem **Erkenntnisgewinn** und der **Entwicklung der Persönlichkeit**. Während der jugendliche Michael durch die erstmalig übernommene Verantwortung und Entscheidungsfreudigkeit an Stärke gewinnt und auch der Beziehung zwischen den beiden etwas hinzugefügt wird (was aber bezeichnenderweise nicht explizit, sondern nur in der Negation benannt werden kann: „Auf und seit unserer Fahrt haben wir nicht mehr nur Besitz voneinander ergriffen." S. 57), hinterlässt der Besuch des Konzentrationslagers den inzwischen älteren Michael mit dem Gefühl der Leere („In mir fühlte ich eine große Leere, als hätte ich nach der Anschauung nicht da draußen, sondern in mir gesucht und feststellen müssen, dass in mir nichts zu finden ist." S. 150). Geschichte und eigene Person werden so miteinander in Beziehung gebracht. Er muss erkennen, dass gleichzeitiges Verstehen und Verurteilen nicht möglich ist, wird aber mit dieser Erkenntnis nicht fertig.

Flucht vor Entscheidungen und Verantwortung

g) Zielgerichtet ziellos **flieht Michael vor beruflichen Entscheidungen und Verantwortung** (S. 172 und III, 3). Auch in Hinblick auf **Gedanken und Erkenntnisgewinn wird die Reise-Metapher** eingesetzt. Gedanken werden in verschiedenen Kontexten als **in Bahnen kreisend** beschrieben. Die Erkenntnis von Hannas Analphabetismus wird dargestellt als ein Gedanke, der sich von in denselben Bahnen kreisenden Gedanken abspaltet und „seinen eigenen **Weg** verfolgt und schließlich sein eigenes Ergebnis" (S. 126) hervorbringt. (Interessant ist, dass sich die Wegbeschreibung Michaels als Metapher für diesen Gedankengang lesen lässt.) Gleichzeitig beschreibt Michael, dass er auf Reisen nur geringe Variationen (vgl. gleiche Bahnen) bevorzugt und eher dazu übergegangen ist, sich „die vertrauten Regionen noch vertrauter zu machen“ (S. 126). Dies tut er mit der Begründung: „In ihnen sehe ich mehr“ (S. 126). Gleichwohl bleibt festzustellen, dass das Gesehene oder Erkannte nicht notwendigerweise zu einer bestimmten Handlung führt. In diesem Fall führt es nicht zu der Weitergabe der Information an den Richter. Auf diese Eigenständigkeit und Unabhängigkeit von Denken, Entscheiden und Handeln hat der Ich-Erzähler schon im ersten Teil hingewiesen (vgl. S. 21 f.).

Bedeutung des Leitmotivs *Odyssee*

**Ständig unterwegs sein, die Entfernung von alltäglichen Geschehnissen, aber auch die Isolation von anderen Menschen führt demnach dazu, dass Entscheidungen nicht getroffen, einfache Lösungen nicht gefunden werden.** Das erste wird teilweise als Befreiung, als durchaus „angenehm“ (S. 137) erlebt. Aber selbst wenn Entscheidungen gefällt wurden, wenn aus der Fülle der Möglichkeiten eine Wahl getroffen wurde, erlässt Schlink seinen Helden nicht das Dilemma, die Schuld, das Leiden, die Lächerlichkeit oder das Bewusstsein des Verrats. Schlink verweigert seinen Protagonisten durchgängig, nach Hause zu kommen und sich beruhigt und zufrieden dort einzurichten. Michael äußert am Schluss des *Vorlesers* die Erkenntnis, dass es nichts „Abgetanes und Erledigtes“ (S. 206) gibt.

### Literaturgeschichtliche Dimension des Motivs

Das Motiv der *Odyssee* in der Nachkriegsliteratur

Michaels im Laufe des Romans zutage tretendes Verständnis der *Odyssee* und sein eigener durch Irrfahrten und die Sehnsucht nach Zuhause geprägter Lebensweg nehmen wesentliche **Aspekte der literarischen Rezeption** und der Verarbeitung des klassischen Stoffes im Nachkriegsdeutschland wieder auf. Während Odysseus im Exil noch als Identifikationsfigur galt und als Held, der nach langen Irrfahrten endlich nach Hause zurückfand, beschrieben wurde (vgl. **Bechers** Gedicht *Odysseus*, 1938), ändert sich nach dem Krieg das Motiv. Jetzt wird *Der neue Odysseus* gezeigt als einer, der aufbricht „um der Fahrten willen, des stets Entdeckens" (so in **Fürnbergs** Gedicht von 1948). Auch **Arendts** Gedicht *Ulysses weite Fahrt* (1950) betont den Tatendrang Odysseus'. In dem 1962 entstandenen Gedicht Arendts *Odysseus' Heimkehr* wird exemplarisch eine endgültige Absage an den heldenhaften Heimkehrer Odysseus vorgenommen. Zunehmend wird Dantes Darstellung von Odysseus aus dem 26. Gesang der *Göttlichen Komödie* aufgegriffen, die Odysseus als einen Verdammten, schuldhaft Herumirrenden zeigt, dem Unstetigkeit, Verrat, Vergeblichkeit vorgeworfen wird.

### 2. Orte und Räume

Ein mit der *Odyssee* eng verknüpfter Bereich ist der der Orte und Räume. Es gibt in dem Roman verschiedene Orte:

- → Orte, wo **gelehrt und gelernt** wird (Arbeitszimmer des Vaters, Lesesaal)
- → der Ort, wo **Gericht gehalten** wird (Gerichtssaal)
- → Orte, wo **Verbrechen geschieht** und **Verbrechen gesühnt** wird (das Lager und die Kirche mit den Gefangenen, die Zelle Hannas).
- → der Ort, wo **Intimitäten stattfinden** (Hannas Küche)
- → der Ort, wo sich **Hannas Geheimnis enthüllt** (Wald)

Räume abseits des Alltags, mit existentiellen Lebenssituationen verknüpft

Allen diesen Räumen ist gemeinsam, dass sie in gewisser Weise vom Alltag, von anderen Menschen abgeschlossen sind (vgl. Eisenbahnmotiv). Darüber hinaus sind diese Räume mit existenziellen Lebenssituationen verknüpft.

Das **Arbeitszimmer des Vaters** ist nur nach Voranmeldung und unter Einhaltung eines bestimmten Rituals erreichbar. Der Vater schirmt seine Welt ab, alltägliche Entscheidungen werden von seiner Frau übernommen. Es ist „ein Gehäuse, in dem die Bücher, Papiere, Gedanken und der Pfeifen- und Zigarrenrauch eigene, von denen der Außenwelt verschiedene Druckverhältnisse geschaffen hatte" (S. 135). Hier findet später das kostbare Gespräch zwischen Vater und Sohn statt.

Das **Gerichtszimmer** ist durch „große Fenster, deren Milchglas den Blick nach draußen verwehrte, aber viel Licht hereinließ" (S. 90 f.) von der Umgebung getrennt. Die Staatsanwälte sind gesichtslos, nur in den Umrissen erkennbar. Dadurch konzentriert sich der Blick auf die Angeklagte, Hanna, der Michael erstmalig wieder begegnet. Hanna muss sich der Anklage, Michael sich der Frage stellen, wer er überhaupt ist, was er für Hanna war.

Das **Lager** und die **Kirche**, in der die Gefangenen eingeschlossen verbrennen, sind streng bewacht und von der Außenwelt abgeschirmt. Hier geschehen Verbrechen, hier wahrt Hanna ihr Geheimnis, indem sie die Vorleserinnen in den Tod schickt.

Die **Küche**, in der Hanna und Michael sich lieben, wird zu einem zentralen Ort, der vor allen anderen geschützt wird. Nicht einmal durch Gespräche werden andere Menschen einbezogen. Lediglich akustisch dringen Lebenszeichen anderer Menschen gelegentlich dorthin vor. In dieser Küche macht der junge Michael seine lebensbestimmenden Erfahrungen mit Sexualität.

Auch die **Stelle im Wald**, wo Michael die Erkenntnis von Hannas Analphabetismus gewinnt, ist ein Ort, der durch seine Isolation und Entfernung vom Alltag geprägt ist (Sonntag, Michael ist allein im Wald). Ausdrücklich wird zwar betont, dass dieser Ort nichts Besonderes an sich habe, aber dennoch wiederauffindbar ist. Das Charakteristische an diesem Ort liegt darin, dass er durch seine Unauffälligkeit „zulässt, das Überraschende, das einen nicht von außen anfällt, sondern innen wächst, wahrzunehmen und anzunehmen" (S. 126). Hier wird darauf hingewiesen, dass es nicht auf besondere Orte ankommt, sondern darauf, sich auf sich selbst zu besinnen, in sich zu ruhen. Genau das ist es, was den jungen Michael von Anfang an an Hanna fesselt und was ihn bis zum Schluss anzieht.

**Hannas Zelle** wird von Michael nach ihrem Tod besucht. Er erkennt in ihr die persönliche Auseinandersetzung Hannas mit ihrem Teil der Schuld. Sie hat sich im Gefängnis „wie in einem Kloster" zurückgezogen und der Arbeit wie einer „Meditation" unterworfen. Die körperlichen Veränderungen Hannas nach einigen Jahren bewertet die Gefängnisleiterin folgendermaßen:

> „Eigentlich war es, als hätte der Rückzug ins Kloster nicht mehr genügt, als gehe es selbst im Kloster noch zu gesellig und zu geschwätzig zu und als müsse sie sich daher weiter zurückziehen, in eine einsame Klause, in der einen niemand mehr sieht und Aussehen, Kleidung und Geruch keine Bedeutung mehr haben ... Sie hat ihren Ort neu definiert." (S. 196 f.)

### 3. Körper, Sexualität und Zuhause-Sein

> „Mein Körper, ob gesund oder krank, ist mein Haus und wie das Haus in dem ich wohne, und viel mehr noch als das, der Ausdruck meiner Integrität. Ohne ihn ist meine Integrität ein bloßer Gedanke. Dass er da ist, dass ich über ihn verfüge – das hat einen wichtigen Teil meines Lebensgefühls ausgemacht". (*Die gordische Schleife*, S. 71)

Diese Feststellung macht Georg, der Protagonist aus dem oben genannten Kriminalroman, bezeichnenderweise gerade, nachdem er brutal zusammengeschlagen wurde. Körperliches spielt eine wichtige Rolle. Bei allen Texten Schlinks – so auch beim *Vorleser* – ist geradezu eine „Obsession für den Liebesakt“[19] auffällig.

Hannas Weltvergessenheit

Das, was den pubertierenden Michael an Hanna fesselt, ist etwas, was er erst später verbalisieren kann: Die Weltvergessenheit ihrer Haltungen und Bewegungen, der Rückzug in das Innere des eigenen Körpers und für Michael die **„Einladung, im Inneren des Körpers die Welt zu vergessen“** (S. 18). In seiner Vorstellung vervollkommnet sie sogar noch diese Form des In-sich-Ruhens. Sie erscheint ihm im Traum noch schöner als früher, als **„in ihrem Körper noch mehr zu Hause“** (S. 199). Tatsächlich entwickelt sie – so die Darstellung der Gefängnisleiterin – eine andere Form des **Rückzugs in ihren Körper**. Sie lässt sich gehen und ist weniger attraktiv, d. h. nicht mehr als Sexualpartnerin interessant. Ihr Körper ist nur noch für sie selbst da. (Es ist auffällig, dass im Zusammenhang mit dem Sexualakt häufig die Formel vom Besitzergreifen verwendet wird.)

Körperliches Verlangen

Der fünfzehnjährige, unerfahrene Michael leidet unter Sehnsüchten, Lüsten und Fantasien nach dem ersten Kontakt mit Hanna in ihrer Küche. Sein Körper verlangt nach Hanna; er verwirft alle moralischen Bedenken, konstruiert Argumente, um einem schlechten Gewissen entgegenzuwirken. Er schafft sich eine Rechtfertigung für seine Beziehung zu Hanna, die vor allem erst einmal eine **Beziehung der Körper** ist (vgl. Kapitel „Kommunikation“, S. 86). Die sexuellen Erfahrungen führen dazu, dass er sicherer wird, sich in seinem „Körper wohl“ (S. 41) fühlt. Als Hanna plötzlich verschwunden ist, wird nicht die Sehnsucht nach dem Menschen, sondern seines Körpers nach dem Hannas in den Vordergrund gestellt („Es dauerte eine Weile, bis mein Körper sich nicht mehr nach ihrem sehnte.“ S. 83). Dieses **Verlangen der Kör-**

---

19 Thomas Wirtz, *Immer nur lebenslänglich*, FAZ vom 12. 2. 2000

**per nacheinander** wird mit **Zuhause-Sein** und der **Hoffnung** (Michaels) **auf Rückzug** und auf Weltvergessenheit verknüpft. Diese Hoffnung erfüllt sich aber nicht. Hanna gibt sich nie „rückhaltlos" (S. 77) hin. Nur einmal, am ersten Tag der Fahrradtour, wird etwas von der Verheißung, die Hanna ausstrahlt, Wirklichkeit, denn sie nimmt Michael „in sich auf" und hält ihn „in ihren Armen" (S. 53). Allerdings legen ihre geflüsterten Worte („Mein Jungchen, mein Jungchen") nahe, dass sie eher an ein Kind als an einen ebenbürtigen Sexualpartner denkt. Im Spannungsfeld zwischen Lust und Liebe bleibt unklar, was darunter verstanden wird. Wenn Michael von seiner „Liebe" zu Hanna spricht, mutmaßt er, dass sie als Preis dafür anzusehen sei, dass Hanna mit ihm geschlafen habe (S. 28), diese Liebe also von seiner Seite aus einem Gefühl der Entgeltung entstehe. Sie ist überdies von vornherein zum Scheitern verurteilt. Von Hannas Liebe zu ihm weiß er nichts (S. 67) und auch der Leser ist vorwiegend auf Vermutungen angewiesen. Wohl ist es möglich, sich gegenseitig zu „Empfindungen jenseits alles bisher Empfundenen" (S. 77) zu treiben. Unglück und Verzweiflung kann mit Sex kompensiert werden. Tatsächlich gelingt es aber keinem von Schlinks Protagonisten, den anderen wirklich zu erreichen und zu erschüttern (ähnlich wie es in den Träumen nie möglich ist, ins Innere der Häuser vorzudringen, wirklich nach Hause zu kommen). Für Michael ist die Beziehung zu Hanna neben der Erinnerung von glücklichen Momenten vor allem Quelle von Scham, Schuldgefühl, Verwirrung.

Scham, Schuldgefühl, Verwirrung

## 4. Weitere Leitmotive

| **Motiv der Augen/ Blicke/Bilder** | **Tiermotive** | **Betäubung/ Erstarrung/ Kälte** | **Träume** | **Requisiten** | **Namen** |
|---|---|---|---|---|---|
| (S. 9, 13, 15 ff., 60, 62, 78, 95, 112, 140, 152, 185, 188, 197, 200 u. a.) | **Vögel/Amsel** (S. 5, 10, 44, 46, 147)<br>**Pferde** (S. 31, 185, 115);<br>**Stute** (S. 115), **Todesgalopp** (S. 118) | (S. 91, 96, 99, 115, 155 u. v. m.) | (S. 9 ff., 46 f., 141 f., 187, 199, 19 ff.) | Uniform, Peitsche,<br>Gürtelschnalle, Stiefel, Schlüssel; Unterrock, Strümpfe, Nachthemd;<br>Badetuch, Schwamm, Blechbadewanne, Wassereimer, Schwimmbad;<br>Bett, Tisch, Regal | (S. 29/S. 33)<br>**Gesichter**<br>(S. 14, 78, 197, 200/ S. 114, 87 u. a.) |

## 3.7 Interpretationsansätze

ZUSAMMENFASSUNG

**Kommunikation**
Michael und Hanna kommunizieren nonverbal und körperlich ohne gravierende Missverständnisse, die verbale Kommunikation wird allerdings aufgrund verschiedener Faktoren (Alter, sozialer Unterschied, Bildungsstand, Geheimnis Hannas) sehr beeinträchtigt. Rituale ersetzen oder ermöglichen reibungsfreie Kommunikation.

**Analphabetismus**
Es gibt verschiedene Hinweise auf die Schwäche Hannas im ersten Teil, die nur bei genauem Hinsehen und im Nachhinein genau verstanden werden. Der Leser wird also wie der Protagonist Michael von der Erkenntnis überrascht. Typisch für Analphabeten sind die Mechanismen der Verdrängung und Täuschung der Umwelt über die Schwäche. Die Konsequenzen für Hanna sind Unsicherheit, Unruhe, ständige Wechsel von Wohnort und Arbeitsstelle, kaum private Beziehungen.

**Lesen, Schreiben, Vorlesen**
Michael und Hanna vertreten jeweils die Fähigkeit und Unfähigkeit des Umgangs mit diesen Kompetenzen. Auch ihre Art der Rezeption von Literatur ist sehr unterschiedlich. Hanna trennt kaum zwischen fiktionalen und realen Personen, Michael lernt durch Hannas literarische Texte für sich selbst in Anspruch zu nehmen. Der Roman verweist auf eine lange Liste von Autoren und literarischen Werken, die einen breiten gattungsspezifischen und literaturgeschichtlichen Raum abdecken.

**Schuld**

Hanna und Michael werden auf sehr unterschiedliche Weise im juristischen und menschlichen Sinne schuldig. Im Zusammenhang mit diesen Figuren wird die Schuld der Zeitgenossen des nationalsozialistischen Deutschlands beleuchtet, aber auch die Schuld der Kinder- und Elterngeneration. Der Roman zeigt viele Möglichkeiten der Reaktion und des Umgangs mit Schuld auf: Scham, Erstarrung, Verdrängung, aktive Auseinandersetzung u. v. m.

**Kommunikation**

Bedingungen

verbale und nonverbale Kommunikation

**Analphabetismus**

Problemaufriss

Anzeichen

Folgen

**Lesen, Vorlesen, Schreiben**

Funktion

Liste der zitierten Texte

**Frage und Aspekte der Schuld**

Umgang damit

Folgen

## Bedingungen der Kommunikation

Kommunikation der Körper

Hanna und Michael sind zwei sehr unterschiedliche Kommunikationspartner. Dies liegt u.a. an ihrem unterschiedlichen Alter, den sehr verschiedenen Bildungsständen und sehr wesentlich an Hannas Unfähigkeit, zu lesen und zu schreiben. Es ist auffällig, dass die kommunikative Beziehung zwischen Hanna und Michael weniger auf verbaler als auf nonverbaler Ebene abläuft. Schon bei der ersten Begegnung wird dies deutlich. Bevor sie den Namen des anderen kennen, vergeht etwa eine Woche, in der es zur Kommunikation der Körper gekommen ist, wobei ohne Worte gelehrt und gelernt wurde.

Das erste Gespräch aber endet sofort in einer Auseinandersetzung, die Michael „wie betäubt" (S. 36) zurücklässt. Er versteht nicht, warum Hanna so heftig und abweisend reagiert. Auch später, z. B. in der Episode mit dem verloren gegangenen Zettel, wird die Ursache der Erregung nicht geklärt, sondern übergangen. Nach Streitigkeiten behält Hanna die Oberhand, indem sie nonverbale Kommunikationsmittel und ihre Anziehungskraft einsetzt.

> „Sie hatte sich so gestellt, dass der Küchentisch zwischen uns war, ihr Blick, ihre Stimme und ihre Gesten behandelten mich als Eindringling und forderten mich auf zu gehen. ... ich hatte sie zur Rede stellen wollen. Aber ich war gar nicht an sie herangekommen." (S. 48)

Die Drohung der Zurückweisung bringt Michael dazu, in jeder Hinsicht zu kapitulieren, sich ihr zu unterwerfen und sogar gegen sein Wissen und gegen seine Überzeugung Fehler einzugestehen und sich zu entschuldigen (vgl. S. 50). Mündliche (Reden über den Streit) und schriftliche Kommunikation (Brief) scheitern, weil Hanna sich als Empfänger der Nachrichten verweigert bzw.

das Zeichensystem nicht beherrscht. Als Analphabetin hat sie aus Furcht vor Entdeckung gelernt, tiefer gehenden Fragen auszuweichen, Strategien der Vermeidung zu entwickeln. Durch den fehlenden Umgang mit Worten bedingt beherrscht sie lediglich einen restringierten Code[20]. Deshalb weicht sie bei Streitigkeiten in die Pantomime aus, statt sich argumentativ auseinanderzusetzen (S. 36). Aufforderungen, Zustimmung und Ablehnung drückt sie sehr häufig durch Gestik und Mimik aus („Sie sah mich auffordernd an. Als ich nicht aufstand, zuckte sie mit den Schultern, ... Sie nickte ... Sie nickte wieder." S. 49). Zudem macht das von Hanna initiierte Ritual des Zusammenseins Gespräche und Verständigung weitgehend überflüssig.

Hanna setzt Attraktivität ein/ beherrscht nur restringierten Code

Die beiden sprechen nicht über sich und sparen auch weitgehend alles, was ihren jeweiligen Alltag angeht, aus. Hanna reagiert auf seine Fragen nach ihrem Leben und ihren Tätigkeiten so, „als sei es nicht ihr Leben, sondern das Leben eines anderen, den sie nicht gut kennt und der sie nichts angeht" (S. 40) oder sie weicht ihnen völlig aus (S. 75). Hanna begründet ihr Verhalten später damit, dass sie sich ständig unverstanden gefühlt habe und sich deshalb auch nicht zur Rechenschaft aufgefordert gesehen hätte (S. 187). Dies ist sicherlich subjektiv gesehen richtig, andererseits hat sie dadurch, dass sie nie über sich spricht und selbst in den intimsten Momenten „ihren Rückhalt ... nie preisgegeben" (S. 77) hat, auch kein Verstehen ermöglicht.

Unverständnis des anderen auf Grund fehlender Gespräche

---

20 Dieser ist u. a. gekennzeichnet durch:
- kürzere und unvollständige Sätze
- geringeren Wortschatz
- einfache Sätze und einfache Konjunktionen
- starre und begrenzte Auswahl von Adjektiven und Adverbien
- viele Sprachklischees
- mehr Expression (Emotionalität)
- häufig kurze Befehle und Fragen

(vgl. Harro Gross, *Einführung in die Germanistische Linguistik*, judicium Verlag, München 1990, S. 165 f.)

Folgen der sprachlichen Inkompetenz Hannas

Hannas sprachliche Inkompetenz wirkt sich während des Prozesses fatal aus. Auch dort antwortet sie „einsilbig" (S. 92), ist so ungeschickt in der Argumentation und Verteidigung ihrer Handlungsweise, dass sie den Richter verärgert (S. 105), die Prozessteilnehmer irritiert und die übrigen Angeklagten dazu bringt, ihre Schwäche auszunutzen. Anfangs ist ihr die Wirkung ihrer Worte nicht bewusst, dann ist es auch für sie unübersehbar, aber sie findet keine Alternative.

> „Hanna merkte, dass sie ihrer Sache mit dem, was sie sagte, keinen Dienst erwies. Aber sie konnte nichts anderes sagen. Sie konnte nur versuchen, das, was sie sagte, besser zu sagen, besser zu beschreiben und zu erklären. Aber je mehr sie sagte, desto schlechter sah es um ihre Sache aus." (S. 122 f.).

Kommunikation mit Texten

Andererseits ist Hanna sehr an Literatur interessiert. Sie ist offenbar sehr wohl in der Lage, ältere und moderne komplexe literarische Texte zu verstehen und darauf zu reagieren. Eine Hilfe beim Verständnis dieser Texte ist sicherlich die Tatsache, dass vorgelesen wird. Dadurch wird schon eine interpretatorische Ebene vorgegeben.

Michael ist im Gegensatz zu Hanna durch Schulbildung und Elternhaus an mündliche und schriftliche Kommunikation gewöhnt. Wissensvermittlung, Erziehung, Auseinandersetzungen und Entscheidungen finden verbal statt („Bei uns zu Hause weinte man nicht so. Man schlug nicht … Man redete." S. 55). Der Leser mag sich fragen, warum sich Michael auf diese ungleiche Beziehung auch hinsichtlich der Sprachkompetenz einlässt.

Gelungene Kommunikation auf der Grundlage der Körpersignale

Eine wichtige Rolle spielt in diesem Zusammenhang die schon oben erwähnte Tatsache, dass die körperliche Attraktivität der reifen Frau für den Jugendlichen von ausschlaggebender Bedeutung ist. Miteinander sprechen spielt eine untergeordnete Rolle, aber zumindest von Michaels Seite ist nachhaltig gelernt worden, Körpersignale aufzunehmen und alle Beziehungsbotschaften, die auf nonverbalem Wege gesendet werden, zu verstehen (vgl. u.a. S. 33; „So sah ich sie von hinten. Ich sah ihren Kopf, ihren Nacken, ihre Schultern. Ich las ihren Kopf, ihren Nacken, ihre Schultern." S. 95).[21] Die Darstellung der ersten Begegnung und die Geschehnisse zu Beginn ihrer Beziehung zeigen deutlich, dass Gefühle, Absichten und Wünsche nicht durch Worte vermittelt und dennoch eindeutig verstanden werden; sprachliche Verständigung scheint sogar eher für beide Seiten problematisch („‚Darum bist du doch hier!' ‚Ich …' Ich wusste nicht, was ich sagen sollte." S. 26 f.). Diese Form der Kommunikation verläuft also erfolgreich von Anfang an bis zum Schluss (vgl. auch S. 184 f.) und bildet die Grundlage ihrer Beziehung, wobei Hanna anfangs den deutlich dominanteren Part hat.

Als Hanna nicht mehr die Rolle der Geliebten einnimmt, sondern von Michael körperlich abgelehnt wird, wird diese Störung der Beziehung sofort wahrgenommen und teilt sich beiden mit („Ich nahm sie in die Arme, aber sie fühlte sich nicht richtig an." S. 188). Intuition und Emotion hat in ihrer Beziehung den Vorrang vor Kognition, verbaler Auseinandersetzung. Rückblickend reflektiert Michael den Zusammenhang zwischen Denken und Handeln und zeigt auf, dass seiner Erfahrung nach die tatsächliche Handlung nicht immer der rationalen Entscheidung folgte, sondern, durch „eigene Quellen" (S. 22) gespeist, auch ganz unerwartet sein konnte. Appelle, die Hanna durch Gestik, Mimik, Tonfall und Haltung an ihn richtete, sind von seiner Seite immer genau verstanden worden und haben zumindest bei dem jugendlichen Michael stets

Michael reagiert auf Hannas Appelle

---

21 Interessant ist in diesem Zusammenhang, dass Michael vielfach das Verb „lesen" verwendet, wenn es um nonverbale Kommunikation geht. Die verschiedenen Zeichensysteme werden also zueinander in Beziehung gesetzt. Vgl. auch: „Hanna in Shorts und geknoteter Bluse, mir ihr Gesicht zugewandt, das ich nicht lesen kann – auch das ist ein Bild, das ich von ihr habe." S. 78

zu dem von ihr gewünschten Ergebnis geführt, selbst wenn dies im völligen Gegensatz zu seinen vorherigen Überlegungen und Argumenten stand.

Michaels Verweigerung anderer Kommunikationsebenen

Als Hanna im Gefängnis lesen und schreiben gelernt hat und nun ihrerseits vorsichtig in eine persönliche schriftsprachliche Kommunikation mit Michael treten will, verweigert sich dieser und beschränkt sich weiterhin auf die Verbindung durch Vorlesen, gesteht ihr damit jetzt seinerseits nur eine „Nische" (S. 187) zu. Eine Begegnung und damit die Möglichkeit einer mündlichen Auseinandersetzung versucht er anfangs völlig zu vermeiden, dann verläuft das Wiedersehen kürzer als nötig. Das Gespräch erweist sich als mühsam, immer wieder schweigen die Kommunikationspartner (S. 186 ff.). Schon vorher hatte Michael im Umgang mit Ehefrau und späteren Freundinnen auf Erzählen und Reden aus der Erkenntnis heraus verzichtet, „weil die Wahrheit dessen, was man redet, das ist, was man tut" (S. 166).

Vorbild des Vaters

Ein weiterer Gesichtspunkt bei der Klärung der Frage, warum für Michael der verbale Austausch mit Hanna nicht vorrangig ist, ergibt sich in Hinblick auf Michaels Beziehung zu seinem Vater. Für diesen sind zwar Worte von großer Wichtigkeit, die Alltagswelt und seine Familie werden aber aus dessen Welt des Denkens, Lesens, Schreibens und Lehrens ausgeklammert. Er überlässt weitgehend seiner Frau Gespräche oder Entscheidungen des Alltags, scheint abwesend (S. 30 f.), ist schweigsam. Wenn ein persönliches Gespräch gewünscht wird, ist Michael auf die Einhaltung eines Rituals angewiesen (Termin geben lassen, klopfen und ins Arbeitszimmer eingelassen werden, Gespräch). Die Berufswahl als Jurist bringt es weiterhin mit sich, dass genau vorgegebene Muster der Gesprächsführung mit klarer Rollenverteilung eingeübt werden. Michael ist also an den rituellen Umgang mit Menschen und den Verzicht auf mündliche Auseinandersetzung auch mit Menschen, die ihm wichtig sind, gewöhnt. In allen Fällen wird Michael die Situation vorgegeben, er akzeptiert (wenn auch nicht immer gern) die Bedingungen. Mit seinem Vater kommt es dann doch noch zu einem Gespräch auf einer sehr persönlichen Ebene. Dieses Gespräch mit seinem Vater während des Prozesses (S. 134 ff.) bewahrt Michael wie einen märchenhaften und beglückenden Gegenstand in seinem Gedächtnis. Bei Hanna lässt er diese Möglichkeit nicht zu und Hanna reagiert auf seine Zurückhaltung mit Enttäuschung (S. 195) und dem Verzicht von ihrer Seite auf Nachricht und Abschiedsbrief (S. 196). Mit Gertrud und seinen späteren Freundinnen finden ebenfalls, trotz anfänglicher Bemühungen nach seiner Scheidung, keine gelungenen Gespräche über Persönliches (Ich-Botschaften) von Seiten Michaels statt. Alle Beziehungen enden mit der Trennung voneinander.

Ausklammern des Alltags und anderer Menschen aus der Kommunikation

Weder Michael noch Hanna öffnen ihre Beziehung für andere. Der Alltag der beiden, weitere Freunde und die Familie werden streng ausgeklammert. Dies liegt einerseits an der von der Gesellschaft abgelehnten Art des Liebesverhältnisses, anderseits am Alter und an Hannas rigoroser Haltung. Während der Fahrradtour geben sie sich als Mutter und Sohn aus, lediglich beim Theaterbesuch in der Anonymität der fremden Stadt ist Michael die Reaktion der Leute egal (S. 70). Aber gegenüber seinen Freunden und seiner Familie erwähnt er Hanna nicht, empfindet dieses auch als Verrat. Wenn aber alle persönlichen Dinge des Lebens nie Gegenstand der Kommunikation sein können, fehlt ein wichtiger Bestandteil der Beziehung. Literarische Gestalten können als gemeinsame „Bekannte" eine Zeitlang dieses Defizit verschleiern, genau wie gemeinsam erlebte „Reisen" in fiktionale Welten. Letztlich überwiegt aber das Trennende in der Beziehung.[22]

22 Vgl. dazu Juliane Köster, DU, S. 74

In dem vorliegenden Roman wird ein Beispiel davon gegeben, wie wichtig es ist, verschiedene Formen der Kommunikation zu beherrschen, Situationen richtig zu erfassen und seine Rolle als Kommunikationspartner angemessen auszufüllen. Störungen und Missverständnisse sind dadurch vermeidbar. Es zeigt sich weiterhin, dass wirkliche menschliche Nähe und dauerhafte Liebe unverzichtbar mit dem Austausch durch Worte und die Bereitschaft, über sich zu sprechen, verknüpft sind.

### Das Problem des Analphabetismus

Hinweise auf Hannas Defizit

Hanna ist vollständige Analphabetin, d. h. sie kann weder lesen noch schreiben.

Hinweise auf diese Schwäche gibt es für Michael fortlaufend bis zu seiner Erkenntnis:

- → Hanna hat Michaels Namen auf seinen Schulheften nicht gelesen (S. 35)
- → Hanna reagiert nicht auf seinen Brief (S. 50)
- → Hanna überlässt ihm die Wahl der Routen, der Hotels, der Speisen auf der Fahrradtour (S. 52–54)
- → Hanna gibt vor, den Zettel Michaels nicht gefunden zu haben (S. 54 f.)
- → Hannas Reaktion im Arbeitszimmer seines Vaters, sie lässt sich aus dessen Büchern vorlesen (S. 60 f.)
- → seltsam wahllose Auswahl von Kinofilmen (S. 76)
- → Anzeichen von hohem Druck auf Hanna (S. 76)
- → Hanna hält Termine der schriftlichen Vorladung nicht ein (S. 94)
- → Hanna will nicht auf die Verlesung des vorher zugesandten Manuskriptes des Buches der Tochter verzichten (S. 104)
- → reagiert sicht- und hörbar verwirrt im Zusammenhang mit dem Protokoll ihrer richterlichen Vernehmung (S. 105)

Strategien Hannas zur Vertuschung ihres Analphabetismus

Hanna hat im Laufe der Zeit meisterhaft gelernt, ihre Schwäche zu vertuschen. Sie reagiert durch Ignorieren, erfindet Begründungen für ihr Tun (zu aufgeregt, will sich mal nicht kümmern etc.). Sie lässt andere für sich lesen (Michael schmeichelt sie mit seiner schönen Stimme, die KZ-Insassinnen sind ihr ausgeliefert, werden zum Schweigen verpflichtet und anschließend in den Tod geschickt). In die Enge getrieben reagiert sie zornig, sogar brutal, ist empfindlich und verletzlich. Wenn eine Entscheidung unausweichlich ist, flieht sie aus der Situation. Im Zusammenhang mit ihrer Vernehmung während des Prozesses wirkt sie verwirrt und ratlos. Andererseits kann sie auch keine Hilfe annehmen. Die Verdeckung ihrer Schwäche scheint ein primäres Ziel zu sein, dem sie alles unterordnet, selbst die Gerechtigkeit ihr gegenüber. Sie gibt lieber etwas zu, was sie nicht getan hat, als dass sie sich zu ihrer Schwäche bekennt. Hanna muss konstant nach Lösungen suchen, wie sie in einer Welt der Schriftzeichen und der schriftsprachlichen Kommunikation zurechtkommt, und gleichzeitig Sorge tragen, dass keiner ihre Lese- und Schreibunfähigkeit bemerkt. Diese Anspannung ermüdet sie sichtlich („Ihr Blick ist müde." S. 61, „Ein hochmütiger, verletzter, verlorener und unendlich müder Blick. Ein Blick, der niemanden und nichts sehen will." S. 157).

Überwindung des Analphabetismus

Erst im Gefängnis gibt sie diesen Kampf auf und tritt in die produktive Phase der Bewältigung ihres Problems: sie lernt lesen und schreiben. Auch hier will sie ohne die Hilfe der anderen auskommen und wählt den mühsamen Weg des Selbststudiums. Nachdem sie ihr Ziel aber erreicht hat, ist sie froh und stolz und möchte gern, dass Michael oder jemand anders diese Freude mit ihr teilt.

Generelles Problem des Analphabetismus

Hanna teilt mit ihrem Analphabetismus das Schicksal einer großen Anzahl von Personen auf der ganzen Welt. Auch in Deutschland bestand und besteht dieses Problem, das in regelmäßigen

Abständen in der Presse und bildungspolitischen Diskussionen aufgegriffen wird.

Im Zusammenhang mit dem *Vorleser* sind die persönlichen Konsequenzen für einen Analphabeten von großer Bedeutung. Lese- und Schreibunfähigkeit

Negative Folgen des Analphabetismus

- → führt zu großen Problemen in der Wahrnehmung von Verantwortung, Rechten und Pflichten in Staat und Gesellschaft
- → erschwert den Lebens- und Arbeitsalltag (besonders in einer durch technologische Fortschritte bestimmten Gesellschaft): Lesen von Anweisungen, Rezepten, Ankündigungen, Anforderungen, Zeitungen u. v. m.
- → behindert die geistige Entwicklung und Persönlichkeitsbildung (Sprache als Voraussetzung der Selbstvergewisserung des Einzelnen, der Selbstreflexion, der Weiterbildung) und die Teilnahme an Kulturleistungen
- → verhindert die Vermittlung von Informationen und Gedankenaustausch auf schriftlicher Ebene
- → bedingt häufig niedrigen sozialen Status (Arbeitslosigkeit, keine Weiterbildungsmöglichkeiten etc.)
- → verhindert schöpferische Leistungen auf sprachlichem Gebiet
- → macht in gewisser Weise sprachlos (keine Teilnahme an schriftlichen Meinungsäußerungen, keine Selbsthilfegruppen oder andere Organisationsformen in der Öffentlichkeit), vereinzelt
- → macht abhängig von anderen (bei gleichzeitiger Ablehnung von Hilfe, um seine Schwäche nicht sichtbar werden zu lassen)
- → fordert viel Kraft und Konzentration für die Entwicklung und Anwendung von Strategien zur Vertuschung der Schwäche
- → beschämt, führt zu Minderwertigkeitsgefühlen, die kompensiert werden müssen.

Ursachen für Analphabetismus

Die Ursache für Hannas Schwäche wird nicht konkret angegeben. Es kann vermutet werden, dass die schulischen Zielsetzungen in ihrer Jugend zu stark auf die Vermittlung bestimmter Ideologien ausgerichtet war. Es bleibt dennoch die Frage, ob bzw. wieweit ihr Analphabetismus schuldmindernd ist.

## Lesen, Vorlesen und Schreiben

Michael als Leser

**Michael** Berg kommt aus einem Elternhaus, in dem Bücher und Lesen und Schreiben zum Leben dazugehören. Das Arbeitszimmer des Vaters ist voll Bücher (S. 60), offenbar vorwiegend Fachliteratur, teilweise von diesem selbst geschrieben. Michael wird als Schüler der zehnten Klasse im Roman eingeführt. Während der Zeit der Krankheit hat er bis zum Überdruss (S. 19) gelesen. Danach liest er offenbar erst einmal nur das, was in der Schule vorgegeben wird. Auf die Frage Hannas, was er in der Schule lernt (S. 42), gibt er fremdsprachliche Texte (Englisch, Latein, Griechisch) an, Texte des Deutschunterrichts liest er nur, weil darüber eine Arbeit geschrieben werden soll. Dabei handelt es sich um Dramen der Aufklärung und des Sturm und Drang (S. 43), die auch heute noch zum klassischen Literaturkanon der zehnten und elften Klassen auf dem Gymnasium gehören. Die Tatsache, dass er die Lektüre bis spät abends aufschiebt und dann über ihr einschläft, ist eher typisch und lässt vermuten, dass wenig Bezug zwischen Literatur und real gelebten Leben hergestellt wird. Aus der Sicht des Erwachsenen wird rückblickend mit einem Unterton des Bedauerns („verwunschene Zeiten!“ S. 19) darauf hingewiesen, dass diese Trennung in jüngeren Jahren und besonders in „Zeiten der Krankheit“ (S. 19) nicht so streng ist und nach seiner Erfahrung „Geschichten und Gestalten, von denen der Kranke liest“ (S. 19) Traum und Wachphasen bevölkerten.

Michael als Vorleser

Auf Hannas Bitte hin übernimmt er die Rolle des Vorlesers. Die Auswahl der Bücher ist erst einmal durch die Behandlung im Unterricht vorgegeben, auch später ist sie durch ein „großes bildungsbürgerliches Urvertrauen" (S. 176) bestimmt. Experimentelle Literatur wertet er als Experimente mit dem Leser und lehnt diese entsprechend strikt ab. Er wählt aus, was ihm selbst gefällt – wobei *Die Odyssee* eine besondere Rolle einnimmt – und was seiner Meinung nach Hanna gefallen könnte. Von Anfang an spürt er die Anstrengung und Konzentration, die es beim Vorlesen kostet, „die verschiedenen Akteure erkennbar und lebendig werden" (S. 43) zu lassen. Genau daran aber liegt ihm. Er will die Geschichten erkennen und die Personen mögen (S. 176), sich selbst in die fiktive Welt einbeziehen.

Hanna als Zuhörerin

Hanna macht ihm das als Zuhörerin vor. Sie trennt nicht zwischen fiktionaler und realer Gestalt („... ihre empörten oder beifälligen Ausrufe ließen keinen Zweifel, dass sie ... Emilia [Galotti] wie Luise [Miller] für dumme Gören hielt." S. 43) und reagiert emotional auf sie wie auf lebende Personen. Auch Michael verknüpft zunehmend das in seiner Vorstellung durch Worte Hervorgerufene mit der erlebten Wirklichkeit („Nausikaa, den Unsterblichen an Wuchs und Aussehen gleichend, jungfräulich und weißarmig – sollte ich mir dabei Hanna oder Sophie vorstellen? Es musste eine von beiden sein." S. 66). Außerdem setzt sie in ihrer Unwissenheit alle Autoren als Zeitgenossen voraus und Michael lernt durch sie literaturgeschichtliche Distanzen zu überwinden und das Aktuelle in den Aussagen auch historischer literarischer Werke zu sehen (S. 179).

Funktion der Literatur für beide

Eine weitere Funktion von Literatur, die Entdeckung und Öffnung einer anderen Welt, die man „staunend" zeitweilig betritt, wird von beiden gemeinsam wahrgenommen. Michael betont das Verbindende, das sich z. B. durch die „ferne Reise" (S. 68)

Michael liest Hanna aus *Emilia Galotti* vor (aus dem Kinofilm USA/BRD 2008). © Cinetext/Allstar/Weinstein Comp.

in Tolstois Welt entwickelt[23]. Dadurch entsteht im Laufe der Zeit eine sehr persönliche Art der Verständigung über Literatur, wie sie unter Vertrauten, die viel gemeinsam erlebt haben, möglich ist („Ihre Bemerkungen über Literatur trafen oft erstaunlich genau. ‚Schnitzler bellt, Stefan Zweig ist ein toter Hund' oder ‚Keller braucht eine Frau' …", S. 179). Gleichzeitig verdeckt das Vorlesen die Unfähigkeit oder die mangelnde Bereitschaft, auf andere Weise mit Hanna zu kommunizieren („Ich habe auf den Kassetten keine persönlichen Bemerkungen gemacht", S. 176; „Ich habe Hanna nie geschrieben." S. 179; „Das Vorlesen war meine Art, zu ihr, mit

---

23 Es darf in diesem Zusammenhang nicht vergessen werden, dass sehr viel Zeit mit dem Vorlesen und dem Zuhören verbracht wird. Allein Tolstois Roman wird mit vierzig bis fünfzig Stunden veranschlagt (vgl. S. 68). Die Liste der vorgelesenen Texte ist nicht vollständig, schon so aber kann man die immense Zeitdauer abschätzen.

ihr zu sprechen." S. 180). So wird gleichzeitig Nähe und Abstand voneinander erzeugt.

Für den Vorleser, aber auch für die Zuhörerin hat das laute Lesen den Vorteil, dass das Vorgelesene länger im Gedächtnis haften bleibt (S. 175). Auf diese Weise gewinnt Michael die Möglichkeit, Besitz von Literatur zu ergreifen.

Michael als Schreibender

Der Lektürekanon umfasst, wie sich der anschließenden Auflistung entnehmen lässt, alle Textgattungen. Durch Hanna lernt Michael auch, dass Gedichte schön sein können (S. 56) und er schreibt als Schüler sein erstes Gedicht. Auch später liest er, erst zögernd, dann mit „viel Spaß" (S. 175) Gedichte vor und macht sie sich durch Auswendiglernen zu eigen. Das Gedicht ist der Beginn einer Karriere als Schriftsteller, die er später im Erwachsenenalter fortsetzt.[24] Initiiert wurde der kreative Umgang mit Literatur möglicherweise auch durch die Anregung Hannas („‚Wirst du eines Tages auch solche Bücher schreiben?' ... ‚Wirst du andere Bücher schreiben?' ... ‚Wirst du Stücke schreiben?'" S. 62). Hanna bleibt, obwohl oder vielleicht gerade weil körperlich abwesend, die kritische Instanz, der er seine Manuskripte abschließend vorliest (S. 176).

Das Buch der überlebenden Tochter

Eine Sonderrolle nimmt das Buch ein, das die Tochter über ihr Leben in den Konzentrationslagern geschrieben hat und das bei dem Prozess Grundlage der Anklage ist. Michael studiert dieses Buch mit großer Gründlichkeit. Die Fähigkeit, nüchtern zu analysieren und zu registrieren, danach aber die Erlebnisse in literarischer Form umzusetzen, hat der Tochter offenbar bei der Be-

---

24 Es ist von Manuskripten, die an den Verlag geschickt werden, die Rede (S. 176). Interessant ist, dass der Leser nur durch das Jugendgedicht (S. 57) Einblick in Bergs Schreibtätigkeit bekommt. Themen und Art seiner folgenden Texte bleiben ein Geheimnis zwischen ihm und Hanna. Auf der anderen Seite erfährt der Leser erst von Michaels und Hannas Geschichte durch sein Buch (vgl. letztes Kapitel).

wältigung der Vergangenheit geholfen. Bei dem späteren Besuch allerdings kommt Michael angesichts ihres „eigentümlich alterslos" (S. 200) aussehenden Gesichtes und der extremen Sachlichkeit in Ton, Haltung, Gestik und Kleidung die Vermutung, dass sie „unter dem frühen Leid erstarrt" (S. 201) sei, die Vergangenheit also nicht bewältigt, sondern nur verdeckt habe. Generalisierend kommentiert Michael, offenbar nach der Lektüre weiterer Texte dieser Art:

> „Alle Literatur der Überlebenden berichtet von dieser Betäubung, unter der die Funktionen des Lebens reduziert, das Verhalten teilnahms- und rücksichtslos und Vergasung und Verbrennung alltäglich wurden." (S. 98)

Für den Studenten Michael ist das eigentümliche „Zugleich von Distanz und Nähe" (S. 114) für das Buch dieser Überlebenden des Holocaust charakteristisch. Er führt dies erst auf die Tatsache zurück, dass er das Buch in einer fremden Sprache liest. Erst bei der späteren zweiten Lektüre fällt ihm auf, dass das Buch dadurch Distanz schafft, dass es nicht zur Identifikation mit einer Person einlädt, dem Leser keinen imaginären Zugang zur Welt der Lager erlaubt. Das aber ist es, was Michael im Umgang mit literarischen Texten zu schätzen gelernt hat. Dennoch folgt er in gewisser Weise dem Vorbild der Tochter.

Funktion des Schreibens für Michael

Sein eigener Versuch, durch Schreiben seine Erfahrungen zu verarbeiten, gelingt nur teilweise. Die Hoffnung, die eigene Vergangenheit loswerden zu können, erweist sich als genauso absurd wie die Vorstellung, das Überleben in Konzentrationslagern vergessen zu können. Doch ihm hat nach eigenen Angaben das Schreiben geholfen, seinen „Frieden" (S. 206) mit seiner Geschichte zu machen, zumindest zeitweilig ein gewisses Maß an emotionaler Distanz und Ausgeglichenheit zu gewinnen. Auffällig ist, dass Michael sein Schreiben erst mit dem Wunsch nach Distanz („Zuerst wollte ich unsere Geschichte schreiben, um sie loszuwerden") und dann sofort nach Nähe („Dann merkte ich, wie unsere Geschichte mir entglitt, und wollte sie durchs Schreiben zurückholen." S. 206) begründet. Beide Versuche misslingen. Im Gegensatz zu seiner Erkenntnis, dass gleichzeitiges Verstehen und Verurteilen unmöglich ist (S. 152), begreift er aber durch die schreibende Auseinandersetzung damit, dass sein Leben eben nicht nur eine „Geschichte" ist in einem Buch, das er nach Beendigung der Lektüre zuklappen und weglegen kann, sondern dass Entferntes und Nahes sich verweben und ineinander greifen, denn

> „die Schichten unseres Lebens ruhen so dicht aufeinander, dass uns im Späteren immer Früheres begegnet, nicht als Abgetanes und Erledigtes, sondern gegenwärtig und lebendig. Ich verstehe das" (S. 206).

Dennoch haben jahrelange Auseinandersetzung und die vielen im Kopf geschriebenen Versionen den Schreibenden weiter gebracht: Die sachliche und erstarrte Haltung, die er bei der Schreiberin des Überlebensberichtes gespürt hat, ist bei ihm nicht das Letzte. Bei aller Distanz, die ihm zeitweise möglich ist, ist dennoch die früher empfundene „Betäubung" gewichen. Er reagiert emotional und empfindet – wenn er es auch als „schwer erträglich" (S. 206) bezeichnet – in bestimmten Zusammenhängen Verletzungen, Schuld, Sehnsucht und Heimweh.

### Liste der im Roman auftauchenden Texte oder Autoren

Goethe: *Briefwechsel mit Frau v. Stein* u.a. Texte (S. 40, S. 179)
Stendhal (Marie-Henri Beyle): *Le rouge et le noir* (S. 40)
Mann, Thomas: *Bekenntnisse des Hochstaplers Felix Krull* (S. 40)
Schiller: *Kabale und Liebe* (S. 43; auch Theaterbesuch, S. 69)
Lessing: *Emilia Galotti* (S. 43)
Hemingway: *Der alte Mann und das Meer* (S. 42)
Homer: *Die Odyssee* u.a. Epen (S. 42), *Reden* (S. 42)
Cicero: *Reden* (S. 42)
Eichendorff: *Aus dem Leben eines Taugenichts* (S. 56)
Tolstoi: *Krieg und Frieden* (S. 67)
Schnitzler: *Erzählungen* (S. 174, 179)
Tschechow: *Erzählungen* (S. 174, S. 179)
Keller (S. 175, S. 179)
Fontane (S. 175)
Heine (S. 175)
Mörike (S. 175)
Kafka (S. 176)
Frisch (S. 176)
Johnson (S. 176)
Bachmann (S. 176)
Lenz (S. 176, S. 179)

### Texte, auf die Bezug genommen wird

→ Buch der Tochter
→ Primärliteratur und Sachliteratur über Philosophie, Analphabetismus (S. 178), Holocaust (S. 193)
→ eigene Texte Michaels (S. 176)
→ Briefe Hannas (S. 177, 179), Brief der Gefängnisleiterin (S. 180)
→ Testament Hannas (S. 195)

## Zur Frage der Schuld

Der Umgang mit Schuld

*Der Vorleser* ist ein Roman, in dem Menschen auf vielfältige Weise schuldig werden und in sehr unterschiedlicher Weise mit der eigenen Schuld und der anderer umgehen. Es ist in diesem Sinne nicht nur ein literarischer Beitrag zur Holocaust-Thematik, sondern grundsätzlich ein Buch darüber,

Individuelle Schuld und Kollektivschuld

> „was Menschen einander antun und einander schuldig bleiben können, wie sie, ohne Monster zu sein, die furchtbarsten Verbrechen begehen können, wie politische und gesellschaftliche Institutionen versagen und wie eine moralische Kultur zusammenbrechen kann, schließlich auch wie man sich zu denen verhält, die die furchtbarsten Verbrechen begangen haben“[25].

Besonders eindrucksvoll ist, wie Schlink individuelle Schuld und Kollektivschuld zueinander in Beziehung setzt; Einzelschicksale spiegeln in gewisser Weise das Schicksal ganzer Generationen. Es wird dargestellt, wie Menschen, teilweise durch ganz banale Umstände, schuldig werden können und wie schwierig es ist, mit der jeweiligen Schuld umzugehen. Der Roman zeigt sehr unterschiedliche Mechanismen des Verdrängens, Verweigerns von Verantwortung, der Ich-Bezogenheit von Menschen. Gerade weil keine eindeutigen Rollenzuweisungen zu Nur-Schuldigen oder Nur-Unschuldigen entstehen, die Umstände, die zur Schuld führten, verstehbar und erklärbar gemacht werden, aber deutlich darauf hingewiesen wird, dass gleichzeitiges Verstehen und Verurteilen nicht geht, bekommt der Roman eine universelle Bedeutung mit fast philosophischen Bezügen.

---

25 Bernhard Schlink in seiner Rede zur Verleihung des Fallada-Preises der Stadt Neumünster, 1997, in: *Salatgarten*, Heft 1 1998, S. 44

**Schuld Hannas:**

→ während ihrer Zeit als Aufseherin im KZ: Beteiligung an der Selektion der Gefangenen, Brutalität den Gefangenen gegenüber, unterlassene Hilfeleistung bei der brennenden Kirche
→ Michael gegenüber: Demütigung und Kälte, Schlagen mit dem Gürtel, Zuweisung lediglich eines sehr beschränkten Platzes in ihrem Leben (vgl. S. 75)
→ juristische Schuld (nach § 182 des Sexualstrafrechts): Verführung eines Minderjährigen, d. h. sexueller Missbrauch Michaels, da juristisch vom Ausnutzen einer fehlenden Fähigkeit zur Selbstbestimmung ausgegangen wird

**Schuld Michaels:**

→ Liebe zu einer Verbrecherin
→ Hanna gegenüber: Verrat durch Ausschluss aus seinem Leben, bzw. Zuweisung einer kleinen Nische, unterlassene Hilfe nach Erkenntnis ihres Geheimnisses (redet weder mit ihr noch mit dem Richter über ihr Problem), Vermeiden von Besuchen und persönlichem Kontakt, später der Versuch, ständig auf sie Einfluss zu nehmen und sie nicht stehen lassen können („Es ging mir nicht wirklich um Gerechtigkeit. Ich konnte Hanna nicht lassen, wie sie war oder sein wollte.“ S. 153)
→ Sophie gegenüber: Verletzung ihrer Gefühle („in ihr Herz gedrängt“, S. 84)
→ dem Großvater gegenüber: Ablehnung von dessen Segen vor seinem Tod
→ Gertrud und Julia gegenüber: ständiger Vergleich mit Hanna nimmt der Beziehung die Basis, Verweigerung von Geborgenheit für Julia
→ dem Gesetz gegenüber: Diebstahl von Kleidungsstücken für die kleine Schwester und für Hanna

**Schuld des Vaters:**

→ unzureichende Aufmerksamkeit und Herzlichkeit/Wärme gegenüber den Kindern (S. 136)

**Schuld der Zeitgenossen der NS-Zeit:**

→ Zulassen der Gräueltaten, mangelnder Widerstand
→ aktive Mithilfe im Nazi-Regime, Unterstützung und Festigung desselben
→ Verzicht auf Verurteilung und Ausschluss aus dem gesellschaftlichen Leben
→ fehlende Scham

**Schuld der Kindergeneration:**

→ moralischer und überheblicher Eifer beim Zur-Kenntnis-Nehmen und Aufklären der Furchtbarkeiten des NS-Zeit, „auftrumpfende Selbstgerechtigkeit“ (S. 162)
→ Vermischen von Konflikten mit den Eltern (Generationskonflikt) mit Aufklärungspflicht
→ Kollektivschuld, Scham (S. 161)

**Umgang mit Schuld, Folgen:**

→ Gefühl der Scham
→ Wegsehen, Tolerieren
→ empörter Fingerzeig auf die Schuldigen, Umsetzen des passiven Leidens an Scham und Schuld in „Energie, Aktivität, Aggression“ (S. 162), Abgrenzung von der „ganzen Generation der Täter, Zu- und Wegseher, Tolerierer und Akzeptierer“ (S. 162), lärmendes Übertönen der eigenen Verstrickung
→ Versuch zu vergessen, Verdrängen, Vermeiden der Erinnerung

- „Kaltschnäuzigkeit" (S. 85) und Fühllosigkeit, Arroganz; Verharren in Betäubung, Kälte, Erstarrung (von nahezu allen Betroffenen, schuldig Gewordenen und Opfern gezeigt), Lieblosigkeit
- Distanz zu Mitmenschen
- Verstörung, Tränen, Erschütterung, mühsame Fassung im Umgang mit der Schuld anderer
- Zorn und Wut
- Ratlosigkeit und Hilflosigkeit
- Verstummen, Leere (S. 150)
- Weglaufen, Flucht
- aktive Auseinandersetzung mit dem Geschehenen (Anschauung, Besuch, wissenschaftliche Literatur etc.), Beschreiben und Erzählen, Kommunikation darüber
- bescheidener Versuch der Wiedergutmachung (Hannas Testament)
- Tod Hannas als Möglichkeit der Sühne[26]

---

26 Diese Deutung wird nahegelegt, wenn man einen weiteren Text Schlinks *(Der Sohn)* hinzuzieht. Dort reflektiert der Vater, der auch seinem Sohn gegenüber schuldig geworden ist, kurz vor seinem Tod: „Dann dachte er an die Schulden, die er nicht beglichen hatte. Würde sein Sohn sie für ihn begleichen müssen? Würde ihm die Rechnung präsentiert werden? Oder war der Sinn seines Todes, dass er mit ihm seine Schulden beglich? Dass die Rechnung nicht dem Sohn präsentiert würde? Dass der Sohn für sein Glück nicht zahlen müsste?" (*Liebesfluchten*, S. 280)

# 4. REZEPTIONSGESCHICHTE

ZUSAMMENFASSUNG

Bernhards Schlinks *Vorleser* wurde von Lesern und Rezensenten weltweit begeistert aufgegriffen und hat eine Vielzahl von Texten und Kommentaren in Zeitungen und im Internet hervorgerufen. Auch in der Schule gehört dieser Roman inzwischen zu den Standardtexten des Literaturunterrichts. Mit der erfolgreichen Verfilmung des Romans entstand eine weitere Welle der Rezeption dieses Romans. Nach den überwiegend positiven Kritiken wurden jetzt auch sehr kritische Stimmen laut.

Volker Hage. *Das Gewicht der Wahrheit.* Der Spiegel, Hamburg 29.3.1999:

„blendend erzählt"

„Das blendend erzählte Buch ist Liebesgeschichte und Traktat über den Holocaust und seine moralischen Folgen gleichermaßen. ‚Wir müssen unsere Biografien immer wieder neu schreiben', sagte Schlink nach Erscheinen des Romans, ‚um uns dessen zu vergewissern, wer und wo wir sind. Das heißt, wir müssen durch die Vergangenheit immer wieder durch.'"

Christoph Stölzl. *Ich hab 's in einer Nacht ausgelesen*, Laudatio auf Bernhard Schlink. Die Welt 13.11.1999:

„unglaubliche Lebensbeichte"

„Schlinks ‚Vorleser' gehört in die Familie jener ‚unglaublichen Lebensbeichten' wie sie sich etwa die Protagonisten in Somerset Maughams Storys bei Zufallsbegegnungen in exotischen Hotelhallen, auf nächtlichen Schiffsdecks eine lange Nacht

> erzählen und denen wir, die Leser, ebenso atemlos lauschen wie die fiktiven Zuhörer, behext und um den kritischen Abstand gebracht durch die Form der Ich-Erzählung, mit der verrinnenden Zeit immer mehr wankend in unseren moralischen Koordinaten."

Dr. Hartmut von der Heyde empfiehlt den Roman für den Deutschunterricht mit folgender Begründung (v. d. Heyde, Rezension: *Bernhard Schlink, Der Vorleser.* Unterrichts-Materialien Deutsch. Stark Verlag 1999):

Auseinandersetzung mit grundlegenden Fragen der Persönlichkeitsentwicklung und den Auswirkungen der Gräuel der NS-Zeit

> „Nähe und Versagen der kommunikativen Beziehung zwischen den Protagonisten machen menschliches Verhalten in einer ungewöhnlichen Beziehung exemplarisch anschaulich und konfrontieren die Schüler mit grundlegenden Fragen der Persönlichkeitsentwicklung und menschlichen Miteinanders; die Geschichtlichkeit menschlicher Existenz wird konkret erfahren, indem die politischen Gräuel der NS-Zeit, von den Schülern oft genug nur als Unterrichtsstoff abgehakt, in die Gegenwart hineingeholt und in ihren beunruhigenden und zerstörerischen Auswirkungen erlebt und miterlebbar werden. Sprache und Perspektive des Erzählers, der nicht über den Dingen steht, sondern von seinen Erfahrungen quälend betroffen ist, wirken authentisch und tragen zur Eindringlichkeit des Romans bei."

Rainer Moritz, Die Welt 15. 10. 1999:

Widerlegung des künstlichen Gegensatzes Privatheit – Politik

> „Es gibt Romane, die nimmt man mit leiser Vorahnung in die Hand, und in manchen seltenen Fällen schlägt diese Vorfreude in Begeisterung um. So erging es mir 1995 mit Schlinks ‚Vor-

leser', mit einem Roman, der eine außergewöhnliche, eine entsetzliche Liebe beschreibt und den künstlichen Gegensatz zwischen Privatheit und Politik ad absurdum führt."

Tilman Krause. *Schwierigkeiten beim Dachausbau.* Die Welt, 29.1.2000:

„Ungewöhnlich unterhaltsam belehrend"

„Spektakulär in einem nahezu unerhörten Sinne war ja auch Schlinks ‚Vorleser' gewesen, diese education sentimentale vor dem Hintergrund des Holocaust, spektakulär und für deutsche Verhältnisse auf ganz ungewöhnlich unterhaltsame Weise belehrend sowie im In- und Ausland Epoche machend wie wenig seit ‚Blechtrommel' und ‚Deutschstunde'."

Rainer Moritz. *Die Liebe zur Aufseherin, Bernhards Schlinks Roman „Der Vorleser" – ganz einfach ein Glücksfall.* Die Weltwoche, Zürich 23.11.1995:

„Bestechend aufrichtig"

„‚Der Vorleser' ist ein Roman von bestechender Aufrichtigkeit. Er fegt die bequemen Ausflüchte aller derer hinfort, die einem ‚Aufarbeiten der Vergangenheit' eilfertig das Wort reden. Wenn Michael Berg einräumt: ‚Ich bin damit nicht fertig geworden', so spricht er ungewollt das aus, was andere, viele andere vertuschen. ‚Schamarbeit', ‚Erinnerungsarbeit' – so lauten die modischen Betroffenheitsvokabeln, die Absolution vorgaukeln. Dass es Dinge gibt, die keinen Anspruch auf Freispruch haben, davon erzählt Bernhard Schlink, leise und klug."

Werner Fuld. *Drama eines zerstörten Lebens.* Focus, München 30.9.1995:

> „Ein aufregendes Buch: Es beginnt als heimliche Romanze zwischen einem 15-jährigen Gymnasiasten und einer reifen, 21 Jahre älteren Frau, entwickelt sich in der Mitte zum politischen Gerichtsroman und steigert sich dann zu einem psychologischen Drama über Schuld und Verhängnis. Trotzdem hat das Buch nur 207 Seiten. Man muss große Themen nicht breit auswalzen, wenn man wirklich erzählen kann."

„Romanze – politischer Gerichtsroman – psychologisches Drama"

Christoph Buchwald. Die Welt 15. 10. 1999:

> „Er hat mit seinem Roman für die deutschsprachige Literatur im Ausland sehr viel getan. Und dafür kann man ihm nicht dankbar genug sein. Ich kann nur rufen: ‚Gratuliere'."

Neben den vielen positiven Stimmen zum Roman *Der Vorleser* gibt es jedoch auch negative Kritiken.

Volker Weidermann. faz.net 15. 3. 2006

> „Kritische Stimmen gab es kaum. Bis – fünf Jahre später – ein harmloser Erzählungsband Schlinks erschien und sich plötzlich zahlreiche Menschen meldeten, Leser, kaum professionelle Kritiker, einige Germanistik-Professoren, und mit einer Wut von ihrer Lektüre des ‚Vorlesers' berichteten, die kaum zu überbieten war: ‚Nazi-Propaganda', ‚Kultur-Pornographie', ‚keine Literatur'. Die Wucht der Empörung war erstaunlich, und so ging der „Vorleser" in eine zweite Runde der Rezeption, und nun fanden sich auch unter Literaturkritikern immer mehr, die feststellten, daß hier doch ein etwas merkwürdiges Geschichtsbild verfolgt würde und die Sprache des Romans wahnsinnig kitschig sei."

„Nazi-Propaganda", „Kultur-Pornographie"

Besonders der Umgang des Autors mit der Schuld der Deutschen in der NS-Zeit wird als verharmlosend kritisiert. Schlink wird Geschichtsverfälschung vorgeworfen, der Roman sei voller Irrtümer, Verdrehungen und Halbwahrheiten. Es handle sich nicht um eine Auseinandersetzung mit der NS-Geschichte, sondern um Geschichtsrevision und Geschichtsklitterung.[27]

Die Verfilmung

2008 kam die Verfilmung des Romans unter der Regie von Stephen Daldry in die Kinos. David Kross spielte den jungen und Ralph Fiennes den älteren Michael, Kate Winslet übernahm die Rolle der Hanna. Sie wurde für ihre Darstellung mit einem Oscar ausgezeichnet.

Auch der Film wird verschiedentlich bewertet:

Jörg Häntzschel. sueddeutsche.de, 18. 12. 2008

„leblos und kitschig … schwer zu ertragen"

„So exquisit seine Bilder von deutscher Nachkriegstristesse auch sind – an der Geschichte hat der britische Regisseur Stephen Daldry für seine Adaption gewiss nichts beschönigt. Doch das Spröde und Förmliche, auf das der Film viel zu oft vertraut, um Kitsch zu vermeiden, lässt ihn auch leblos und auf seine eigene Art kitschig erscheinen.

Vor allem das erste Drittel des Films mit der verstockten und unerfüllten Affäre der beiden ist streckenweise schwer zu ertragen. Auch Ralph Fiennes, der den älteren, beziehungsunfähigen Berg, einen erfolgreichen Berliner Anwalt, spielt,

---

27 Vgl. Nora Bierich, Kulturpornografie, Holo-Kitsch und Revisionismus – Der Vorleser kommt ins Kino, in: Zeitgeschichte-online, Februar 2009

fordert dem Zuschauer mit seiner gequälten Diktion und seinen noch gequälteren Zügen einiges ab.“

Hans-Georg Rodek. welt.de, 6.2.2009

„Daldrys ‚Vorleser‘ hat, ohne Zweifel, den Brüder-Weinstein-typischen, aufs Preisgewinnen hin polierten Look, wie ihn beispielsweise auch ‚Shakespeare in Love‘ oder ‚Chocolat‘ aufwiesen. Selbst das KZ wirkt, wenn der Nachgeborene es durchläuft, auf kinotauglichen Hochglanz getrimmt.

Hochglanz-KZ, aber großartige Schauspieler

Das ist eine für dieses Thema – potenziell – problematische Ästhetik. ‚Der Vorleser‘ bezieht seine Spannung gerade aus dem Widerspruch zwischen glatter Oberfläche und den dunklen Strömungen im Untergrund. Der Film posaunt seine Konflikte nicht hinaus, sondern lässt sie subkutan köcheln.

Winslet ist großartig, Kross berührend, Fiennes unendlich traurig, und für all die anderen – Hannah Herzsprung, Bruno Ganz, Karoline Herfurth, Burghart Klaußner – gilt, dass selten kleinere Rollen derartige Prägnanz erreichen wie hier.“

# 5. MATERIALIEN

## Ausschnitt aus Peter Weiss: *Die Ermittlung*

In Peter Weiss' Dokumentartheaterstück *Die Ermittlung* aus dem Jahre 1965 geht es wie auch im *Vorleser* um die Frage, wie man zum Opfer oder zum Täter wird und wie man sich ihnen gegenüber verhält:

Die Austauschbarkeit von Opfern und Tätern

**Zeuge 3**

„Wenn wir mit Menschen
Die nicht im Lager gewesen sind
Heute über unsere Erfahrungen sprechen
Ergibt sich für diese Menschen
Immer etwas Unvorstellbares
Und doch sind es die gleichen Menschen
Wie sie dort Häftlinge und Bewacher waren
Indem wir in so großer Anzahl
In das Lager kamen
Und indem uns andere in großer Anzahl
Dorthin brachten
Müsste der Vorgang auch heute noch
Begreifbar sein
Viele von denen die dazu bestimmt wurden
Häftlinge darzustellen
Waren aufgewachsen unter denselben Begriffen
Wie diejenigen
Die in die Rolle der Bewacher gerieten
Sie hatten sich eingesetzt für die gleiche Nation
Und für den gleichen Aufschwung und Gewinn
Und wären sie nicht zu Häftlingen ernannt worden

Hätten auch sie einen Bewacher abgeben können
Wir müssen die erhabene Haltung fallen lassen
Dass uns diese Lagerwelt unverständlich ist"[28]

### Aussage einer Zeugin im Prozess gegen Hermine Braunsteiner

KZ-Aufseherin Hermine Braunsteiner Ryan – Parallelen zu Hanna?

Die Gestaltung der Figur Hanna zeigt Anlehnungen an Hermine Braunsteiner, die als KZ-Aufseherin in Lublin-Majdanek von den Häftlingen den Spitznamen „Kobyla" (Stute) erhielt. Nach dem Krieg lebte sie unauffällig in den USA, verheiratet mit dem Amerikaner Russel Ryan. Dennoch wurde sie später aufgespürt und vor Gericht gestellt. Der folgende Text ist ein Ausschnitt der Aussagen von einer persönlich betroffenen Zeugin des Prozesses gegen Hermine Ryan.

„Ich werde ermahnt, sitzen zu bleiben, weil man sonst bei dem Andrang meinen Platz weggeben würde. Ich kann nicht, ich muss nach vorne, muss die Leute aus der Nähe sehen, stehe plötzlich, halb geschubst, halb gedrängt, direkt vor Hermine Ryan, ihren Opfern als ‚Stute' oder ‚Schindmähre' bekannt. Blaues Kostüm, weißer Kragen, sehr gepflegt. Sie schreibt und schreibt in einen Block, die sehr gepflegten Silberlöckchen verdecken das Gesicht. Ich will die sehen, von Angesicht zu Angesicht! Ich will die sehen! Diese Frau, von Ehrgeiz zerfressen, dieses Arbeiterkind, das mit seinen eisenbeschlagenen Schaftstiefeln hilflose Frauen tottrampelte. Was trägt sie denn jetzt für Schuhe? Sie hat sich immerhin gut gehalten ..."[29]

---

28 Peter Weiss, *Die Ermittlung*, rororo, Reinbeck 1984, S. 78
29 Peggy Parnass: *Majdanek* aus: M. Schmidt, G. Dietz (Hrsg.), *Frauen unterm Hakenkreuz*, dtv München 1985, S. 130 f.

## Definition von Schuld

Schuld

„Schuld: im allgemeinen Sinn das Ursachesein für ein Übel. Schuld im sittlichen Sinne setzt Verantwortlichkeit voraus. ... Es gibt Unterschiede der Schwere der Schuld. Sie hängen ab von der Größe des herbeigeführten Übels, dem Bewusstsein davon und dem Grad der dabei gegebenen Willensfreiheit. Neben unmittelbarer gibt es eine mittelbare Schuld, wenn bei der Herbeiführung des Übels kein Bewusstsein davon gegeben war, dieser Mangel aber seinerseits verschuldet ist. – Ein Schuldbewusstsein, die seelische Belastung durch Schuld, ist oft auch dann vorhanden, wenn die Entschlussfreiheit durch Unwissenheit oder Zwang beeinträchtigt war ...“[30]

---

30 *Brockhaus Enzyklopädie*, Band 17, S. 47

# 6. PRÜFUNGSAUFGABEN MIT MUSTERLÖSUNGEN

Unter www.königserläuterungen.de/download finden Sie im Internet zwei weitere Aufgaben mit Musterlösungen.

Die Zahl der Sternchen bezeichnet das Anforderungsniveau der jeweiligen Aufgabe.

## Aufgabe 1 *

*Textanalyse*
Text: Bernhard Schlink, *Der Vorleser*, Teil III, Kapitel 8, S. 184–187 („Am nächsten Sonntag" – „aber keinen Platz in meinem Leben")

1. **Beschreiben Sie den Inhalt und den Situationskontext dieses Textabschnittes.**
2. **Analysieren Sie den vorgegebenen Textausschnitt.**

**Mögliche Lösung in knapper Fassung:**

**Zu 1.**

SITUATIONSKONTEXT

Der Textausschnitt beschreibt das erste Wiedersehen Michaels mit Hanna nach ihrer Verurteilung. Obwohl er ihr vorgelesene Texte ins Gefängnis geschickt hatte, aufgrund derer Hanna sich mühselig das Lesen und Schreiben beigebracht hatte, war es nie zu einem persönlichen Kontakt gekommen. Erst mit der Bitte der Gefängnisleiterin, Hanna vor ihrer Entlassung zu besuchen, lässt sich Michael auf eine Begegnung ein.

INHALT

Hanna wird Michael von fern auf einer Bank sitzend gezeigt. Er beobachtet sie von weitem und stellt fest, wie unattraktiv sie inzwischen geworden ist. Als Hanna ihn ansieht, stellt sie ebenfalls fest, dass ihre Vorfreude auf das Wiedersehen enttäuscht wird. Michael erinnert sich detailliert an den früheren, geliebten Geruch Hannas, nimmt jetzt allerdings nur den Geruch einer alten Frau wahr. Sie unterhalten sich über die Zukunft und Michaels Vorkehrungen für die Entlassung sowie Lesen und Vorlesen. Michael teilt ihr seine Bewunderung für die Überwindung des Analphabetismus mit. Gleichzeitig stellt er fest, dass seine Freude darüber nur halbherzig ist und dass er Hanna nur mit Distanz begegnet.

**Zu 2.**

ANALYSE

Der Textausschnitt beginnt mit der Beschreibung des Weges durch das Gefängnis bis zu der Bank, auf der Hanna sitzt. Die Beschreibung gleicht einer Kamerafahrt, ist sachlich und nimmt die Perspektive Michaels auf. Durch eine widerholte Frage („Hanna? Die Frau auf der Bank war Hanna?") wird das ungläubige Erstaunen verdeutlicht. Der Blick wandert dann von oben (Haare) nach unten (Schoß). Blickkontakt gibt es erst sehr spät. Die Beschreibung nimmt die Veränderung Hannas genau auf. Diese besteht augenscheinlich in der Tatsache, dass Hanna deutlich gealtert ist (Haare, Falten, Brille, Gewichtszunahmen), vor allem aber in der Lesefähigkeit („Ihre Hände ... hielten ein Buch."). Der nächste Abschnitt nimmt die nonverbale Kommunikation zwischen den beiden auf. Diese wird differenziert und durch Reihungen von Adjektiven („freundliches, müdes Lächeln") und Verben („suchen, fragen, unsicher und verletzt schauen") beschrieben. Michael erkennt die Erwartung, Freude, Fragen und Verletzung als Reaktion auf das eigene Verhalten, das weder dargestellt noch kommentiert wird.

Die Erinnerungen an den Geruch Hannas bestimmen den nächsten Abschnitt. Während im ersten Abschnitt das Optische (Augen) im Vordergrund stand, wird jetzt der Geruchssinn (Nase) aktiviert. Hannas früherer Geruch wird wiederholt als „frisch" (S. 185) erinnert, darunter ein „schwerer, dunkler, herber Geruch" (S. 185). Das Animalische („wie ein neugieriges Tier", S. 185) und Intime der Situation vergegenwärtigt sich dem Leser, wenn Michael daran denkt, wie er Hanna von oben bis unten beschnuppert hat. Auch Alltagsspuren sind mit dem Geruch verknüpft. Die sentenzhafte Aussage über den Geruch von Händen nimmt das Heimkehrmotiv (S. 186) wieder auf. Wenn Michael die Hanna der Gegenwart am Geruch als „alte Frau" (S. 186) wahrnimmt und mit Altenheimbewohnern vergleicht, werden Ablehnung und die Unmöglichkeit eines Gefühls von Zusammengehörigkeit deutlich. Das folgende Gespräch über Entlassung, Lesen und Vorlesen lässt ebenfalls Distanz und Unaufrichtigkeit von Seiten des Protagonisten erkennen. Hanna spürt dies offenbar („Damit ist jetzt Schluss, nicht wahr?", S. 186). In einem inneren Monolog kommentiert Michael seine Äußerungen aber auch sein Verhältnis zu Hanna. Er schließt sie als wichtigen Faktor in seinem Leben aus.

## Aufgabe 2 ***

*Textanalyse und Erörterung*
Text: Bernhard Schlink, *Der Vorleser*, Teil II, Kapitel 10, S. 126 („Ich habe die Stelle im Wald wiedergefunden" – „Hanna konnte nicht lesen und schreiben.")

1. **Analysieren Sie die Textstelle**
2. **Setzen Sie sich am Beispiel Michaels aus Schlinks Roman *Der Vorleser* mit der Frage auseinander, inwieweit eine wichtige Erkenntnis auch Taten nach sich ziehen muss.**

### Mögliche Lösung in knapper Fassung:

**Zu 1.**

ANALYSE

Dieser kurze Abschnitt beschreibt metaphorisch die plötzliche Erkenntnis Michaels, die er hinsichtlich des Geheimnisses von Hanna, ihrer Unfähigkeit zu lesen und zu schreiben, hat. Die Erkenntnis wird einem Ort im Wald zugeordnet. Dabei wird im ersten Satz deutlich gemacht, dass Michael zwei Mal an diesem Ort war: einmal, als sich das Geheimnis offenbarte, ein weiteres Mal, das zum Nachdenken über Erkenntnisgewinn anregt. Der Waldspaziergang und das Nachdenken über Hanna werden miteinander in Beziehung gesetzt. Während dem konkreten Ort durch mehrfache Negation („nichts Besonderes") und durch den Ausschluss möglicher Beispiele („keinen ...", „nichts") alle Auffälligkeiten abgesprochen werden, wird der Gedankengang als unausweichlich immer selbstständiger und dominanter („Als der damit fertig war, war er damit fertig") gesehen. Die Personifizierung ordnet dem Gedanken Entscheidung („abgespalten, hatte seinen eigenen Weg verfolgt") und Zielorientierung („sein eigenes Ergebnis hervorgebracht") zu. Die Bedingung für das Zustandekommen einer Erkenntnis sieht der Protagonist in der Tatsache, dass äußerlich nichts ablenkt, sodass innere Vorgänge, Gedanken reifen und wahrnehmbar werden können. Zu einer wirklichen Erkenntnis brauche es allerdings drei Schritte: Entwicklung des Gedankens, Wahrnehmung desselben und schließlich das Annehmen des Gedankens. Erst nachdem noch einmal der unspektakuläre äußere Weg zur Erkenntnis umrissen worden ist, wird die Spannung gelöst und der Leser erfährt das Geheimnis, formuliert als einfacher Aussagesatz. Durch diese Vorgehensweise vermittelt sich dem Leser die Erkenntnis genauso unvermittelt wie Michael.

**Zu 2.**

ERÖRTERUNG

Die Erörterung nimmt den gesamten Roman in den Blick und setzt sich mit Michaels Entscheidung, Hanna nicht durch die Vermittlung dieser Erkenntnis zu entlasten, kritisch auseinander. Dabei müssten die Beziehung zwischen den Personen, die Umstände und Beweggründe einbezogen werden, in der Stellungnahme sollte über Verantwortung und Schuld nachgedacht werden. Michael unternimmt verschiedene Versuche, Hanna zu verstehen, seine eigene Rolle und Schuld einzuordnen, den Rat des Vaters einzuholen oder den Vorsitzenden Richter zu informieren.

Für die Weitergabe der Erkenntnis spricht:

- → Unterstützung und ggf. Entlastung der ehemaligen Geliebten
- → Offenlegen des Geheimnisses als möglicher Beginn der aktiven Auseinandersetzung mit dem Analphabetismus
- → Innere Unruhe und Ratlosigkeit Michaels, Gewissen drängt zur Weitergabe der Erkenntnis
- → Verschweigen als eine Art Racheakt, negativer Beweggrund

Gegen die Weitergabe der Erkenntnis spricht:

→ Vermischung von Privatleben und Gerichtsverhandlung; Michaels frühere Beziehung zu einer KZ-Aufseherin würde bekannt werden, möglicherweise mit juristischem und privatem Nachspiel
→ Analphabetismus ist Privatangelegenheit und war immer streng gehütetes Geheimnis Hannas
→ Schicksal, Anläufe zur Vermittlung der Erkenntnis verlaufen ergebnislos

## Aufgabe 3 ***

***Gedichtanalyse und Textvergleich***

Texte:

a) Adelheid Johanna Hess, *Verfehlt* (aus: A. J. Hess: *Wortstau. Gedichte.* Berlin: Corvinus Presse 1992)
b) B. Schlink, *Der Vorleser*

1. **Interpretieren Sie das vorliegende Gedicht (Text a).**
2. **Vergleichen Sie die Aussagen des Gedichtes mit der Beziehung Michaels zu Hanna in Schlinks Roman.**

**Text a**

**Verfehlt**

1 Wir
Fanden
Zusammen
Aber
5 Trafen uns
Nicht
Der Blick
In des andern
Augen
10 Sah nur
Uns selbst
Unser Reden
Kein Verstehen
unser Schweigen
15 Kein Erkennen
Die Mauer
Im verkopften
Herz

**Mögliche Lösung in knapper Fassung:**

**Zu 1.**

FORM

eine Strophe, 18 Zeilen, Länge der Zeilen: 1–3 Wörter, max. 4 Silben; Fehlen von sekundären Merkmalen von Lyrik wie Reim und regelmäßiger Rhythmus, lediglich Großschreibung am Zeilenanfang. Keine Zeichensetzung, Aufteilbarkeit des Textes in 5 syntaktische Einheiten/Satzgefüge(Z. 1–6, Z. 7–11, Z. 12 f, Z. 14 f., Z. 16–18). 1. Teil: Präteritum, 2. Teil: Ellipsen, Verben fehlen. Personalpronomen „Wir" am Anfang des Gedichtes, Herausstellen des

Beziehungsproblems, Erklärungsversuch dazu am Schluss („verkopften Herz"). Gegensatz Zeile 1–3, 4–6; Parallelismus Z. 12–15

INHALT

Erinnerung des Beginns der Beziehung, schicksalhaft, da andere Gründe fehlen; Gefühl der Verbundenheit wird nicht wahrgenommen, Blickkontakt offenbart eher Egoismus („sah nur uns selbst") von beiden, Scheitern der verbalen und nonverbalen Kommunikation, keine Annäherung an den Partner. Möglicher Grund: unüberwindbares rationales Verhalten, kein Zulassen von Emotion, Liebe.

**Zu 2.**

Der Vergleich des Gedichtes könnte zu folgenden Übereinstimmungen oder Gegensätzen führen:

GEMEINSAMKEITEN

→ schicksalhafte, zufällige Begegnung
→ Missverständnis, Unverständnis, Unwissen über den anderen
→ Schweigen offenbart eher Distanz als Gemeinsamkeit und Verstehen ohne Worte

UNTERSCHIEDE

→ Blickkontakt erlaubt Wissen über den anderen, Hanna drückt Stimmung und Appelle mit den Augen aus, Michael versteht die Botschaften
→ keine rationale Beziehung, sondern von vornherein eine emotionale, durch sexuelle Bedürfnisse bestimmte Beziehung.

## Aufgabe 4 *

*Beschreibung, Bewertungsaufgabe*

1. **Beschreiben Sie die wichtigsten Stationen der Beziehung und stellen Sie zusammen, welche Rollen Hanna und Michael im Laufe ihrer Beziehung füreinander übernommen haben.**
2. **Bewerten Sie das Resümee seiner Beziehung zu Hanna, das Michael (auf S. 201 f.) zieht.**

**Mögliche Lösung in knapper Fassung:**

**Zu 1.**

Wichtige Stationen der Beziehung sind:

| Situation | Rolle Michaels | Rolle Hannas | Bedeutung | Seite |
|---|---|---|---|---|
| erste Annäherung, Hanna zieht Strümpfe an | unerfahrener Fünfzehnjähriger, erregt und verstört | reife, erfahrene Frau, verführerisch | Weltvergessenheit, Rückzug ins Innere des Körpers | 15–17 |
| Bad und erster sexueller Kontakt | „Jungchen", Erregung, Unsicherheit, macht neue Erfahrungen | souveräne, heitere und zielstrebige Verführerin, vermittelt Stärke | Initiation, Mannwerdung, Kommunikation der Körper | 25–27 |
| Straßenbahnfahrt und anschließender Streit | reflektiert Schuld, Fehlverhalten, Kränkung; fügt sich in Rolle des um Verzeihung Bittenden | distanziert und kalt, dominant, droht mit Liebesentzug, triumphiert; besitzergreifend | Machtkampf zwischen Hanna und Michael, Unterwerfung, Missverständnis | 45–50 |

| Situation | Rolle Michaels | Rolle Hannas | Bedeutung | Seite |
|---|---|---|---|---|
| Radtour, Streit, Hanna schlägt Michael | kapitulierend, selbst wenn Schuld nicht ersichtlich, intellektuell reflektierend, diskutierend; Ambivalenz des Besitzergreifens und der Unterwerfung | aggressiv, drohend, besitzergreifend, bestimmend emotional, unbeherrscht, in die Enge getrieben, kann Schwäche (Analphabetismus) nicht zugeben | Bedingungslose Unterordnung durch Michael, Unmöglichkeit der verbalen Auseinandersetzung und Lösung von Konflikten | 54–57 |
| Hanna im Gerichtssaal, Prozess | Jurastudent, versucht seine Rolle in der Beziehung zu Hanna zu verstehen, will Beziehung zu ihr nicht zugeben | Angeklagte, erschöpft, angestrengt, distanziert, ohne erkennbare Erwartungen an Michael | Fühllosigkeit, Entdeckung der Schwäche Hannas, Umgang mit Verantwortung, Schuld und Scham | Teil II |
| Besuch im Gefängnis vor Hannas Selbstmord | distanziert, nimmt Hanna als alte Frau wahr, will keine Bindung mehr an sie | geht aktiv mit Schuld und Schwächen um, enttäuscht über Michaels Rückzug | Suche nach Distanz statt Nähe, Flucht | 184–186 |

BILANZ DER BEZIEHUNG

Während Hanna die Beziehung am Anfang stark geprägt hat und ihre Überlegenheit immer wieder herausstellt (S. 50), nimmt Michael sie als Angeklagte und als Gefängnisinsassin als erschöpft (S. 112) und unattraktiv (S. 184) wahr. Schon am Ende der Beziehung als Jugendlicher beginnt Michael sich von Hanna zu lösen und sich für Gleichaltrige zu interessieren. Diese Tendenz wird durch die zunehmenden Streitereien und ihre unterschiedlichen Bildungs- und Alltagserfahrungen verstärkt. Gleichwohl hinterlässt die Trennung bei Michael ein Gefühl von Schuld (S. 72, 84). Dieses Gefühl der Mitverantwortung und Schuldhaftigkeit verlässt Michael auch nicht während der Begegnungen im Gerichtsaal. Wie auch schon als Schüler in der Anfangszeit der Beziehung verrät er nichts über die private Bindung (S. 73), fühlt sich aber gleichzeitig als Opfer und als Schuldiger. Nur langsam kann er sich Hanna später wieder nähern, indem er Kontakt zu ihr über vorgelesene Bücher hält. Private Kommunikation lässt er nicht zu. Hanna scheint auf der anderen Seite die Rolle der Beherrschenden und Fordernden aufzugeben, schon im Gerichtssaal scheint sie keine Erwartungen mehr an Michael zu stellen, ist aber offensichtlich enttäuscht, als kein Anknüpfen an ihre frühere Beziehung möglich ist. Durch ihren Selbstmord beendet sie auch die Beziehung, in der Michael jetzt der Fürsorgende und gleichzeitig Ablehnende ist.

**Zu 2.**

Der Textausschnitt beinhaltet die Frage der amerikanischen Überlebenden des Holocausts nach der Beziehung zwischen Michael und Hanna. Sie sieht Hanna eindeutig und aus ihrer Erfahrung heraus berechtigt als jemanden, der nur brutal ausnutzen und selbst Minderjährige in Abhängigkeit bringen kann. Sie sieht Michaels misslungene Ehe als Ergebnis der Beziehung zu Hanna. Michael definiert sich selbst als „Vorleser" (S. 201) und als sexueller Partner (S. 202), der von ihrem vorherigen Leben nichts gewusst hat. Er nimmt sie bedingt in Schutz, indem er sie als nicht notwendigerweise für die Beziehungsunfähigkeit verantwortlich und als reumütig vorstellt. Den Prozess des Findens seiner Rolle bestimmte sein Erwachsenenleben. So erlebt er Albträume „in der Angst, wer [er] eigentlich sei" (S. 142), versucht gleichzeitig differenziert und ohne Klischees mit sich und Hanna umzugehen (S. 142). Am Schluss der Auseinandersetzung stellt er für sich fest: „Ich war nicht mehr gekränkt, von Hanna verlassen, getäuscht und benutzt worden zu sein. Ich musste auch nicht mehr an ihr rummachen" (S. 155). Diese emotionale und rationale Distanz ermöglicht ihm eine Rückkehr in den Alltag, in die Normalität. Auch am Ende

MICHAELS RESÜMEE

des Nachdenkens über Hanna vergisst er nicht, dass er die sexuelle Beziehung zu ihr genossen hat, er durch sie erwachsen geworden ist („Ich staune, wieviel Sicherheit Hanna mir gegeben hat", S. 41; „alles, was unser Ritual des Vorlesens, Duschens, Liebens und Beieinanderliegens öffnete, tat uns gut", S. 51).

# LITERATUR

## Zitierte Ausgabe:

*Der Vorleser*, Diogenes Taschenbuch, Zürich 1997

## Literatur von Bernhard Schlink:

*Selbs Justiz*, Diogenes Taschenbuch, Zürich 1987
*Die gordische Schleife*, Diogenes Taschenbuch, Zürich 1988
*Selbs Betrug*, Diogenes Taschenbuch, Zürich 1992
*Liebesfluchten*, Diogenes Taschenbuch, Zürich 2000
*Selbs Mord*, Diogenes Taschenbuch, Zürich 2003
*Die Heimkehr*, Diogenes Hardcover, Zürich 2006
*Das Wochenende*, Diogenes Hardcover, Zürich 2008
*Sommerlügen*, Diogenes, Zürich 2010

## Sekundärliteratur zum *Vorleser* und zu anderen Texten:

**Baron, Ulrich.** *Das Buch, auf das wir lange gewartet haben.* Die Welt, 11.11.1999

**Fuld, Werner.** *Drama eines zerstörten Lebens.* Focus, München 30.9.1995

**Hage, Volker.** *Gewicht der Wahrheit.* Der Spiegel, Hamburg 29.3.1999

**Köster, Juliane.** *Bernhard Schlink: „Der Vorleser" (1995) – Eine Interpretation für die Schule.* In: Der Deutschunterricht, Verlag Erich Friedrich GmbH, Seelze, Heft 4/1999

**Köster, Juliane/Schmidt, Rolf (1998).** *Interaktive Lesung mit Bernhard Schlink.* In: Deutschunterricht (Berlin), Heft 1/1998, S. 46–49

**Köster, Juliane**. *Der Vorleser.* Oldenburg Interpretationen Bd. 98. München, 2000

**Krause, Tilman.** *‚In Berlin fehlt es an Bürgersinn', Besprechung und Interview mit B. Schlink.* Die Welt, Berlin 14.10.1999

**Krause, Tilman.** *Bernhard Schlink: ein Schriftsteller, der nicht im Elfenbeinturm haust.* Die Welt, 10.11.1999

**Krause, Tilman.** *Schwierigkeiten beim Dachausbau.* Die Welt, 29.1.2000

**Kühner, Claudia.** *Ein Buch geht um die Welt.* Die Weltwoche, Zürich 1.4.1999

**Löhndorf, Marion.** *Die Banalität des Bösen.* Neue Zürcher Zeitung, 28.10.1995

**Lüdke, Martin.** *Der Mönch kam nicht mit. Der deutsche Erfolgserzähler Bernhard Schlink erklärt mit neuen Geschichten die Welt.* Die Zeit, 3.2.2000

**Moers, Helmut.** *B. Schlink, Der Vorleser, Interpretationshilfe Deutsch.* Stark Verlag, Freising 1999

**Moritz, Rainer.** *Die Liebe zur Aufseherin.* Die Weltwoche, Zürich 23.11.1995

**Pohsin, Sonja/Diekhans, J. (Hrsg.).** *Bernhard Schlink, Der Vorleser.* EinFach Deutsch, Verlag Ferdinand Schöningh, Paderborn 1998

**Schäfer, Dietmar.** *Bernhard Schlink, Der Vorleser.* Mentor Lektüre Durchblick, Band 344, München 2000

**Stölzl, Christoph.** *Ich hab 's in einer Nacht ausgelesen. Laudatio auf Bernhard Schlink.* Die Welt, 13.11.2000

**Stolleis, Michael.** *Die Schaffnerin. Bernhard Schlink läßt vorlesen.* Frankfurter Allgemeine Zeitung, 9.9.1995

**von der Heyde, Dr. Hartmut.** Rezension: *Bernhard Schlink, Der Vorleser, Informationen für den Deutschlehrer.* Unterrichts-Materialien Deutsch, Stark Verlag, Freising 1999

**Wirtz, Thomas.** *Immer nur lebenslänglich. Bernhard Schlink verhängt Liebesstrafen.* Frankfurter Allgemeine Zeitung, 12.2.2000

## Internet-Adressen:

http://www.christoph-schmidt.de/vorleser/ → Umfassende Site zum ‚Vorleser', Bernhard-Schlink-Forum

http://www.scheffel.og.bw.schule.de/faecher/deutsch/vorleser/ → Internet-Projekt eines Leistungskurses Deutsch zum ‚Vorleser'; unter der Leitung von Ulrich Wilhelm

http://www.shoa.de/ → Umfassende Informationen zum Holocaust, 3. Reich, 2. Weltkrieg und zur Nachkriegszeit

http://www.zeitgeschichte-online.de/portals/_rainbow/documents/pdf/bierich_vorleser.pdf → Essay *Kulturpornografie, Holo-Kitsch und Revisionismus – Der Vorleser kommt ins Kino* von Nora Bierich

## Verfilmung:

***Der Vorleser.***

Hauptdarsteller: Kate Winslet, David Kross und Ralph Fiennes
Regie: Stephen Daldry, Drehbuch: David Hare
Premiere 2008 (USA), Filmstart in Deutschland 2009

**Ergänzende Sachliteratur:**

**Barner, Wilfried (Hrsg.).** *Geschichte der deutschen Literatur von 1945 bis zur Gegenwart.* C. H. Beck, München 1994

**Höfer, Adolf.** *Die endgültige Entsorgung deutscher Vergangenheit in der jüngsten Gegenwartsliteratur.* In: Jürgen Belgrad/ Karlheinz Fingerhut (Hrsg.): Textnahes Lesen. Annäherung an Literatur im Unterricht. Hohengehren 1998

***Der Deutschunterricht.* Heft 4,** 1997, bes. S.70–75

**Zum Holocaust:**

**Blatman, Daniel.** *Die Todesmärsche 1944/45. Das letzte Kapitel des nationalsozialistischen Massenmords.* Reinbek bei Hamburg: Rowohlt Verlag 2011

***Der Deutschunterricht,*** Heft 4/97 (Kinder und Holocaust), 1997 → Enthält eine sehr ausführliche Liste zu Primär- und Sekundärliteratur

**Köster, Juliane.** *Majdanek ist kein Spielplatz.* In: Der Deutschunterricht (Berlin), Heft 7/8 1998

**Schmitz, Thorsten/Fuchs, Albrecht (Fotos).** *Die Stute von Majdanek.* In: Süddeutsche Zeitung. Magazin Nr. 50 vom 13.12.1996, S.17–24

**Zum Analphabetismus:**

**Stark, Werner/Fitzner, Thilo/Schubert, Christoph (Hrsg.).** *Wer schreibt, der bleibt! – Und wer nicht schreibt?* Ein internationaler Kongress in Zusammenarbeit mit der deutschen UNESCO-Kommission, Evangelische Akademie Bad Boll, Klett, Stuttgart 1998 → Enthält eine sehr ausführliche Literaturliste zu verschiedenen Bereichen des Analphabetismus

# STICHWORTVERZEICHNIS